Je t'aime

Créer pour guérir

Avec tout mon amour pour
que cette nouvelle année qui
commence pour toi t'apporte
paix guérison et
création -
Ton Amie Nathalie

Conception - Réalisation
Jean-Pierre Muguet

Ici et maintenant éditions

Un vœu

Que tous les enfants de la terre découvrent leur père et leur mère.

Merci à Jeaninou pour ta patience,
chaque jour tu m'enseignes l'humilité.

Merci Raphaëlle, ton arrivée dans ma vie m'a donné le courage d'écrire ce livre d'amour.

Merci à Isabelle, à Chantal, à Sandrine, à Marie-Do, à Guillaume, et à Gilbert ainsi qu'aux enfants généreux ;
pour votre confiance et votre participation sans limite dans cette aventure.

Merci à toute l'équipe de MG imprimerie pour votre participation efficace dans la réalisation de ce projet.

Introduction

Tout ce qui est écrit dans ce livre est peut-être de l'illusion.
Cela n'a peut-être jamais eu lieu, mais peu importe, c'est ce que ma tête a mémorisé, ma réalité.

C'est le contenu de mon sac à dos, celui que chaque jour, je porte.

Voilà comment j'exploite le contenu, comment au quotidien,
j'apprends à décoder les événements pour que, jour après jour,
je rende ma vie plus agréable, et que je me permette de grandir.

Sans oublier comme acteur principal, le cœur et ses pouvoirs magiques.

Partir de rien pour aller nulle part,
nulle part ailleurs,
car j'apprends à apprécier la vie,
ici et maintenant.

Je ne suis peut-être pas là, par hasard.

le 15 octobre 2004.
Pour Nadine
Partager l'histoire de cet homme m'aide à grandir notre rencontre une étoile de plus dans mon ciel. La présence de Nathalie un trait d'union.
Affectueusement Pierre

L’observateur…

Ma démarche insulaire, mon intégrisme ne me permettaient pas d'aborder une quelconque approche de développement personnel.

Je confondais intégrité et intolérance, le non-respect de moi-même me rendait aveugle.
Mes actes étaient, à chaque instant, déterminés ***par le regard de l'autre*** *ou bien par mon éducation.*

Je devenais insupportable à moi-même, seule la voie de l'instruction pouvait m'aider ***à ouvrir la porte donnant sur un espace de liberté.***
Le temps nécessaire à ce changement d'orientation me semblait interminable.

Mon être cherchait à m’interpeller depuis probablement, de nombreuses années.

J'étais trop laxiste à mon égard pour percevoir ces signes, la vie était devenue pour moi, légère, ***la fuite en avant perpétuelle.***

Je constatais qu'elle ne menait nulle part, mais au moins j'entretenais l'illusion de faire quelque chose pour en sortir.
Ce comportement s'était installé à mon insu. Au plus profond de moi, je ressentais pourtant ce mal curable.
Je devais un jour ou l'autre, prendre conscience que ***j'étais à la fois le laboratoire et le laborantin.***

***Il ne tenait qu'à moi de puiser dans les ressources de mon imagination**, de développer ma capacité de création, de faire un usage intensif de courage, afin de mettre, fondamentalement en question, tout ce à quoi je m'étais aveuglement accroché, et sortir progressivement de ce labyrinthe... trouver une issue.*

*Laborieusement, **j'acceptais cette aventure**. Je ne pouvais plus nier l'urgence de venir auprès de moi, de prendre soin de l'homme.*

***J'avais décidé de ne plus m'obstiner** à engendrer des actions destructrices ou obscurantistes à mon égard.*
Le dernier coup de semonce m'avait immobilisé pendant six mois, quelques années auparavant, mais je n'étais toujours pas réceptif.

***Mon égocentrisme,** mon attachement à jouer le rôle de Saint Bernard, faisait de moi **un homme mort vivant**, ne possédant en lui que le feu d'artifice, pour plaire, être reconnu.*

*Toutes les actions de bienfaisance étant l'occasion, pour l'homme, d'extérioriser son culte du **« moi je . »***

Jean-Pierre Muguet

La honte

Depuis tout petit, j'avais l'impression d'être de trop,
quand j'ouvrais la bouche, avec des gifles, on me faisait taire.

La Prison

Il n'a plus peur,
à l'abri, derrière l'ombre de lui-même,
il regarde en face son malheur,
il se condamne, ses yeux traduisent la haine.

Il n'a pu contenir sa colère,
la rue, lui offre son miroir.
Il n'a jamais su comment lui dire, il en veut à sa mère,
il y repense chaque jour, du matin au soir.

Monsieur le juge, je ne voulais pas le faire,
depuis tout petit, j'avais l'impression d'être de trop,
quand j'ouvrais la bouche, avec des gifles, on me faisait taire.

Depuis des années, j'ai décidé de ne plus dire un mot.

Mais aujourd'hui, je n'accepte plus de vivre,
dans cette société, je me sens persécuté, rejeté.
Lorsque j'étais enfant, je n'ai pas reçu de livre,
pour apprendre à aimer.

Je ne sais plus quoi faire, où aller.
Je me suis enfermé dans l'indifférence.
Je peux frapper, détruire, tuer,
je regarde mon comportement, simplement en silence.

Aidez-moi,
que mon cœur me pardonne,

je suis convaincu qu'en moi, le meilleur est caché.
Je vous en supplie, jugez mon acte, mais pas l'homme,
j'ai besoin de vous pour me retrouver.

Je pourrais témoigner que la violence ne mène nulle part,
j'ai tout tenté pour m'évader de cet enfer mental.
J'avais beau me saouler dans les bars, je ne peux m'empêcher de devenir brutal.

Personne ne peut reconnaître ma souffrance,
je vis chaque jour au côté de cet enfant blessé.

La faute, je l'attribuerai à un excès d'ignorance.
Est-ce si compliqué pour un enfant d'être aimé ?

Je vous en supplie, jugez mon acte,
mais pas l'homme,
j'ai besoin de vous pour me retrouver.
Je vous promets, je ne mangerai plus de pomme,
accompagnez-moi sur le chemin de la dignité.

Je retrouverai le courage et la force,
à tous les coins de rue de crier,
que j'étais un animal féroce,
mais qu'en prison, j'ai reçu un livre pour apprendre à aimer…

L'histoire que je vais vous raconter maintenant, est celle que je pourrais intituler **la guérison.**

C'est un nom qui a l'air un peu banal, on l'emploie assez souvent, mais je ne vois pas d'autre nom approprié pour qualifier ***ce que j'ai vécu le 2 octobre 1997.***

À cette époque, j'avais une compagne d'origine étrangère et nous vivions des moments agréables. Un jour, mon téléphone portable sonne, une voix me pose un certain nombre de questions sur cette relation.
Au premier appel, je ne me suis pas inquiété, me disant que c'était peut-être une erreur.
Mais ces appels se renouvelaient et la voix de l'interlocuteur devenait de plus en plus agressive, cherchant à vérifier des informations.

Mon amie était d'origine maghrébine et la personne qui téléphonait semblait provenir du monde arabe.
Cette jeune femme qui a 15 ans de moins que moi, vivait ses relations amoureuses à l'écart de sa famille, car dans son éducation, ceci n'était pas acceptable.

Suite à ces coups de téléphone, notre relation devenait plus difficile, je lui suggérais de retourner chez elle, en attendant que je découvre qui en était à l'origine.
Ces événements perturbaient considérablement notre relation.

Elle refusa catégoriquement de partir et de me laisser seul face à cette énigme.

Donc, j'acceptais sa présence.

Quelques jours s'écoulèrent et un matin elle me dit :
« Tu sais, je connais quelqu'un qui peut nous aider à comprendre ce qui se passe. »

Ne me posant pas de questions particulières, *je lui répondis :*
« Et bien, si tu connais quelqu'un qui peut nous aider, prends contact et rencontrons le dès que possible. »

Immédiatement, elle décroche le téléphone et appelle son ami, qui lui répond:
« Tu vas enfin sortir de ta culpabilité » en éclatant de rire.
Et d'ajouter :
« Si vous souhaitez, vous pouvez me rencontrer demain à 10 heures venez chez moi, je te recevrai, ainsi que ton ami. »

Elle ne me dit strictement rien au sujet de cet homme, mais me confirme :
« Demain à 10 heures, nous allons chez lui. »

Nous appellerons cette personne Pat.

Je ne me doutais de rien, ***je ne me posais aucune question.***

Le lendemain matin nous arrivons au pied d'un immeuble, nous sonnons, je rentre avec mon amie dans un appartement où nous attendent deux personnes un homme et une femme.

Lorsque je rentre dans ces lieux, ***je vois cet homme bâiller, bâiller énormément.***

J'ai l'impression qu'il est fatigué et je lui fais cette remarque :
« Vous n'avez pas suffisamment dormi ? »
Il ne me répond pas, il sourit.

Nous nous asseyons autour d'une table de salle à manger tout à fait ordinaire. Mon amie s'assoit à ma gauche, cet homme est en face de moi, et à ma droite, sa compagne.

Nous parlons peu, cet homme ne cesse de me regarder et de bâiller. Quelques minutes plus tard, Il me tend une feuille de papier, en me disant, çà c'est ta maman, une autre feuille, ça c'est ton papa, enfin une troisième en me disant ça c'est toi.

« Lis cette feuille ! »

C'est un texte dactylographié. Cette feuille comprend une quinzaine de lignes, écrites en gros caractères.

Dès que je commence à lire, je ressens quelque chose en moi d'assez étrange.
J'essaye de lire les mots les uns après les autres, mais cela me demande ***un effort considérable.***

Je les vois, mais je ne peux que difficilement les lire.

Ce qui m'empêche de lire, c'est le rire !
Je pars dans des fous rires incontrôlables !

Je continue à lutter pour finir de lire ce texte, mais cela devient de plus en plus difficile, je ne fais que rire, que rire !
Plus rien autour de moi n'existe.

La peur

Je n'avais absolument rien contrôlé de ce qui c'était passé,
j'étais resté passif, observateur tout simplement.

Comme je l'ai déjà vécu lors de l'achat d'une maison de repos, j'étais seul dans le néant, je venais de ressentir quelque chose en moi, ***je devenais observateur de ce qui se passait.***

Lors de l'achat de la maison de repos, ***c'était mon cœur, qui me parlait.***
J'avais pris conscience que le cœur battait, qu'il était puissant, ***que je pouvais l'entendre.***

Durant cette expérience, je devenais observateur de ce qui se passait avec ma bouche. Je voulais lire un texte qui n'avait rien de difficile, rien de compliqué, et je ne pouvais pas, ***je ne faisais que rire, que rire, c'était joyeux.***
Je prenais conscience que je ne pouvais pas lire, mais que ma bouche riait sans limite.

Cet état de conscience modifié a duré quelques secondes, quelques minutes, je ne sais pas. Mais, je constatais ce phénomène, et ***surtout que je n'avais absolument rien contrôlé de ce qui c'était passé.***

J'étais resté passif, ***observateur tout simplement.***

Pendant cet épisode, mon amie qui se trouvait tout près de moi, avait eu peur. Elle avait regardé Pat en lui faisant signe pour lui faire part de son inquiétude. Pat lui avait répondu, que tout était normal.
Après cet événement, nous sommes restés plusieurs heures ensemble.
Très peu de paroles ont été échangées.

Je ne voyais pas le temps passer, je ne me rendais absolument pas compte de

ce qui s'était produit en moi.
Je pouvais accueillir tout ce qui m'était donné sans me poser de question.

À la fin de cette séance, car j'ignorais à l'époque que c'était une séance et qui était Pat, j'avais oublié que j'étais venu là pour rencontrer quelqu'un qui peut être travaillait dans la téléphonie, ou dans un service de renseignements, je ne savais pas. En fait, une personne qui aurait pu me mettre sur une piste, pour m'aider à découvrir qui était à l'origine des coups de fils anonymes.
Une fois entré dans cet appartement, à aucun moment, cette question ne m'était venue à l'esprit, j'étais tout à fait ailleurs, et ça n'était plus le sujet.

Au moment de partir, je demande à Pat si je peux lui poser deux questions.
Il me dit :

« Oui, c'est déjà oui à la première, mais pose ta question. »

Ma première question était :

« Est-ce que je peux dire à ma maman que je l'aime ? »

J'avais déjà la réponse. C'était pour moi quelque chose de totalement nouveau, car depuis des années, ***je nourrissais une haine et des sentiments de vengeance vis-à-vis de ma maman*** *et ressentir aujourd'hui le besoin de lui proclamer que je l'aimais,* ***était un acte invraisemblable, surréaliste.***

Au moment de poser ma deuxième question, il me répondit :

« C'est oui aussi pour la deuxième. »

«J'ai acheté avec mon ex-épouse des immeubles et je souhaiterais les vendre. »

Il me dit :
«Puisque tu les as achetés,
tu peux les ... »
Ensuite, nous nous sommes quittés.

Nous étions à Bruxelles, nous marchions dans une petite rue piétonne. Je vis dans un magasin de vêtements, une vendeuse en train d'habiller un mannequin. Elle avait choisi pour lui un splendide pull de couleur grise avec des reflets blancs, le col était plus foncé et se rabattait sur les épaules; ce qui lui donnait une allure décontractée presque sportive.
Je regardais ce pull, au même moment, mon amie me regarda, elle avait lu dans mes pensées.

J'avais envie d'entrer dans ce magasin et de me l'offrir. Nous sommes entrés, j'ai acheté ce pull et d'autres.
Je ressentais en l'achetant, une grande satisfaction, de la joie.
C'était exceptionnel de m'offrir un cadeau, et surtout de l'apprécier à ce point.

Ensuite nous sommes rentrés paisiblement dans l'appartement, nous avons passé une soirée en toute simplicité. Je ressentais que quelque chose en moi avait été modifié, transformé.
Au moment d'aller se coucher, je dis à mon amie :

« Je vais aller vendre les immeubles. »
Je venais de réaliser sur mon ordinateur des affiches en mentionnant « à vendre » avec mon numéro de téléphone.

Le présent

Je pense à toi.
Tu sais mon amour, ce pull a une histoire,
ce n'est pas une anecdote à deux francs,
tu vas voir.
Dans mon verre en plastique, ta tendresse, je bois.

Dans mon assiette en bois,
ton image dans ce pull, cela va de soi.
Que s'est-il donc opéré en moi depuis notre rencontre ?
Je ne comprends pas, je ne suis ni pour, ni contre.

Je me regarde, à chaque repas,
interrompre le festin,
pour saisir mon stylo, pour te prendre la main.
Et nous rêver dans le futur ici bas.

La vie me l'avait offert en fin de soirée,
pendant que je déambulais dans les rues de Bruxelles.
Ici et maintenant, tu peux aussi l'aimer,
complice de ton être, tu es merveilleusement belle.

Avec ou sans ce pull,
je t'aurais rencontrée.
Je suis une tête de mule,
je ne souhaite qu'apprendre à t'aimer.

Raphaëlle, je t'assure,
tous les deux, nous irons sous une nuit étoilée,

peut-être en compagnie d'Arthur,
dans le lac de Sainte Croix, ***être amour***
et nager.

En sortant de l'eau,
sur ton corps frissonnant,
ce pull tu mettras, il te tiendra chaud,
ensuite nous rentrerons, heureux
comme des amants.

Qui ont accepté,
sans chercher à comprendre,
que goûter la vie, c'est tout tendre.
Il faut juste choisir le chemin de la
vérité.

Je t'aime.

J'ose l'écrire.

Je n'ai plus peur de mourir.
Dans mes bras, je te serre.
Le monde de demain, ensemble nous
pourrons le construire,
car ***auprès de toi****, je peux crier sans*
retenue, ***j'accepte de m'aimer.***

« Je te laisse, je vais aller mettre ces affiches sur les immeubles. »

Mon amie était déjà au lit quand je lui annonce, elle ne réagit pas.
Je pars, et je commence à coller une affiche « à vendre » sur l'immeuble dans lequel j'habitais. Ensuite, je me dirige vers un autre immeuble, pour coller également une l'affiche « à vendre », il est 2 heures du matin.

Nous avions un autre immeuble à Tournai à nonante kms de Bruxelles, je ne me sens pas le courage de conduire jusque là-bas le soir même.
Je reviens à l'appartement me coucher, mais au moment de me rapprocher de mon amie, elle se relève et me dit :
« Jean Pierre, j'ai eu terriblement peur, j'ai cru que tu étais devenu fou !
Que tu n'avais rien compris, j'ai téléphoné à Pat pour lui dire que tu n'allais pas bien ! Pat m'a répondu : **laisse les choses se faire.** *J'ai accepté et je me suis rendormie. »*

Le plus important, pour moi, n'était pas de mettre « à vendre » sur les immeubles, ***l'essentiel était de trouver ma maman pour lui exprimer que « Je l'aime », que j'étais capable de le lui dire, après autant d'années de ressentiment, de haine et de révolte.***

Vers 3 heures du matin, je prends le téléphone et je cherche à la joindre. Ma maman habitait Grenoble, mais à son domicile personne ne répondait. Etait-elle partie en voyage ?

Je décide de téléphoner à ma grand-mère, qui avait 80 ans à cette époque-là, il est 3 heures du matin.

Évidement je la réveille, sous l'effet des médicaments, elle ne comprend absolument pas ce qui m'arrive et me dit :

« Jean Pierre ! Tu es devenu fou ! »

« Mamie, je veux savoir où est maman, ***je veux lui dire que je l'aime. »***

Ma grand-mère me demande de la rappeler quelques minutes plus tard, le temps de trouver le numéro de téléphone de l'amie, chez qui elle séjourne.

Un peu plus tard, elle me communique son numéro de téléphone.

Je m'empresse de l'appeler pour dire à ma maman ces mots magiques.

Je tombe sur son amie, qui, comme ma grand-mère réagit en me disant : « Tu as vu l'heure, t'es pas fou ! C'est inconcevable, attends demain matin, ta maman est là et tu pourras lui parler. »

Je trouve ça injuste, pour moi c'est important de lui parler tout de suite !

Je rappelle, son amie refuse de m'écouter et me raccroche une deuxième fois au nez, je finis par me résigner à aller me coucher sans avoir entendu la voix de ma maman.

Le lendemain matin de très bonne heure je compose à nouveau ce numéro, et je suis directement en contact avec elle.

Quel bonheur !

Ma maman surprise de m'avoir au téléphone, me dit :

« Mais que se passe t-il ? »

Je lui dis :

« Voilà maman je voudrais te dire que je t'aime, j'ai retrouvé mon cœur,
je voudrais venir te voir et te parler. »

Ma maman acquiesce sans s'opposer à cette hypothèse.
Je lui dis :
« Je suis à Bruxelles, je serai à Paris dans quelques heures, j'arrive tout de suite. » Une fois la communication terminée, je dis à mon amie :
« Je pars voir ma maman. »

Mon amie est très heureuse de ce qui se passe, ***mais cela lui fait terriblement peur.***
Elle connaît Pat, elle sait ce qu'il fait, mais ne m'en a jamais parlé,
de peur que je la rejette.
De peur que je la prenne pour une folle et ***que je juge son travail personnel.***

Elle n'a absolument pas tort, si elle m'avait parlé de cet homme, ***je ne serais jamais allé le voir et en ce qui la concerne, j'aurais probablement pris mes distances.***

Mon approche rationnelle et mon esprit cartésien de l'existence, ***ne m'autorisent pas un seul instant à me remettre en question.***

Une fois dans ma voiture, je me mets à rouler comme un fou sous la pluie, sans visibilité jusqu'à Paris, mais cela n'a aucune importance.
Je roule, je roule, ***je n'ai absolument pas peur.***
Je ne sais pas exactement où se situe l'adresse que l'on m'a transmise, mais

quelque chose me guide, peut-être quelqu'un ?

Je ne sais pas qui, mais ***je ressens que mon action est juste,*** *je poursuis mon chemin, sans me poser de question.*
Arrivé dans la région parisienne, ***je continue à rouler en toute confiance,*** *sans chercher à vérifier le nom des rues, sans lire la carte.*
Quelque temps plus tard, après avoir circulé dans la banlieue parisienne, j'arrive à un carrefour et je me dis : « tiens, je ne dois pas être loin, c'est dans cet espace-là, que je situe la résidence de cette amie. »
Je m'arrête au bord de la route et demande confirmation auprès d'un passant.
Il me répond :
« Monsieur, vous êtes à deux pas de cette adresse, vous continuez tout droit, puis vous tournez à la deuxième à droite et vous êtes dans la rue. »

Aussitôt dit, aussitôt fait, je poursuis mon chemin et me voilà dans la résidence.
Je gare mon véhicule. Je regarde les noms sur les boîtes aux lettres, et trouve tout de suite l'étage, me voilà devant la porte en train de sonner.

La porte s'ouvre, son amie me reçoit et après l'avoir saluée, j'aperçois ma maman un peu en retrait derrière elle dans le couloir.

Je m'approche doucement pour ne pas l'effrayer et la prends dans mes bras, je la serre très fort contre mon cœur et lui dis :
« Maman je t'aime,
c'est ce que je suis venu te dire. »

Le champ de la vie

Tu veux crier ta douleur.
Lui faire des reproches, le juger.
Prends conscience, tu réagis à tes peurs,
tu n'as pas le choix, tu dois l'aimer.

Les rayons du soleil t'ont éclairée.
Pendant que tu te promenais,
avec Arthur dans la prairie, ***tu rêvais à un monde meilleur où tout serait partagé.***

Pourquoi l'homme renonce t il à lui-même ?
L'œil de l'autre lui paraît indispensable pour diriger sa vie.
Seul, il se sent incapable.
Quelle partie dans l'usine, lors de sa fabrication, ont-ils oublié ?

Peu importe, aujourd'hui dans le champ de la vie,
il a le choix de ne plus se sentir inégal à lui-même.

Devant moi, avec Radamès, tu travailles.
Je m'impose simultanément, de travailler le détachement.
Je ressens sur ma poitrine, une forte pression, une faille,
j'ai peur de moi, *du pur-sang.*

Je voudrais bondir et lui dire,
combien, ***il nous rend service.***
Par son attitude, ***l'art de mentir.***
Au fil du temps, nos cœurs n'auront plus à rougir.

Nous aurons appris ensemble à aimer,
tous ceux qui sur notre chemin,
dans ***la même pièce de théâtre*** *ont joué.*
Nous applaudirons à deux mains.

La peur, nous la ressentons en commun,
chacun de nous, ***la perçoit différemment.***
Est-ce la raison du « non être » ?
Je ne peux y croire, sur la terre comme au firmament.

L'homme peut évoluer, mais pas séparément,
du diamant qu'il possède en lui,
et qu'il met tant de temps à reconnaître.

L'Amour inconditionnel

Maman je t'aime, c'est ce que je suis venu te dire.

Depuis de nombreuses années, je ne pouvais supporter d'être en sa présence, je ne pouvais même pas tolérer, qu'elle s'approche de moi ou qu'elle me touche et ce, **depuis plus de 25 ans.**

J'étais parti de chez moi à 16 ans, un soir, après m'être fâché avec elle. Nous étions tous les deux à table, dans la cuisine, de notre pavillon de banlieue parisienne, **la maison de mon enfance.**

Tout en faisant la vaisselle, ma maman me reprochait quelque chose ou bien m'imposait quelque chose.

Cette fois-là, je n'ai pas supporté d'entendre ses reproches et je me souviens avoir pris le couteau que j'avais à portée de la main et l'avoir levé contre elle, en lui disant :

« Si tu continues, je vais te tuer ! »
Ce soir-là, j'étais parti de chez elle et je n'étais plus revenu durant de nombreuses années.

J'étais allé habiter rue M. le Prince à Paris, **chez mon papa, après lui avoir demandé, s'il voulait bien.**

J'étais arrivé en catastrophe chez lui, un soir, il devait être vingt-deux heures. ***J'avais osé frapper à sa porte, mon papa n'avait pas hésité un instant à m'accueillir.***

Nous avons vécu plusieurs années ensemble, partageant une minuscule chambre de 10 m², une salle d'eau de maximum 4 m². Nous utilisions pour préparer nos repas la cuisine commune, toute aussi petite, du salon de coiffure dans lequel travaillait mon papa.

Je n'oublierais jamais cet acte généreux.
Je le remercie chaque jour encore pour son amour.

« Papa toi aussi, je t'aime. »

Cet acte représentait quelque chose de très fort, c'était reconnaître que j'éprouvais des sentiments tendres pour ma maman, ***sans jamais avoir osé lui exprimer.***
Je m'étais totalement barricadé, enfermé dans la haine et la colère, ***je ne pouvais plus rien ressentir ni voir et encore moins partager.***

Son amie m'invite à prendre le thé. Pendant qu'elle verse l'eau chaude dans la tasse, une inscription apparaît en caractères gras sur celle-ci.
« No limit ! »
J'éclate de rire !
La joie illumine mon visage.

En face de moi, ces deux femmes sont noyées dans une profonde tristesse. Pas un sourire sur leurs visages.

Ce qui règne dans cet appartement, c'est l'ombre de la mort.
Maman, me voyant sourire me demande ce qui ce passe.
Je commence à lui raconter mes aventures.
Je sens qu'elle m'écoute, mais ne comprend rien, je suis serein. Je lui décris ce qui s'est passé avec Pat la veille, et que tout cela m'amène aujourd'hui auprès d'elle, à la retrouver.

Nous buvons et mangeons des petits gâteaux, je saisis ce moment pour lui faire part de mon profond désir :

« Maman, je voudrais dîner ce soir avec toi et papa. »

Elle est assez surprise, et ne répond pas explicitement.

Je lui dis :
« Écoute ! Nous allons nous promener ensemble et parler. »

Après avoir remercié son amie pour son accueil, nous montons dans ma voiture et je m'arrête à la première cabine téléphonique.
Avant de descendre, je réitère ma demande :
« Maman, je voudrais manger avec toi et papa. »

J'ai 40 ans, je n'ai aucun souvenir de mon père et ma mère ensemble à la maison et je voudrais m'offrir ce cadeau.

Maman me répond :
« Je suis d'accord. »

Mon père habite près de Chartres. Je l'appelle depuis la cabine, il décroche.

« Bonsoir papa, je voudrais ce soir dîner avec toi et maman. »

Mon père surpris me répond :
« Il est tard, je suis souffrant, ce n'est pas possible, on verra ça plus tard. »

Je répète à mon père en insistant,
ma voix tremble :
« Papa tu m'as toujours dit que ta porte était ouverte pour moi, ***ce soir je te***

demande d'ouvrir la porte de ton cœur. »

Mon père se reprend immédiatement et me dit :
« Venez, je vous prépare un dîner et je vous attends. »

Je remonte dans ma voiture auprès de ma maman :
« Voilà nous partons pour Chartres, et allons dîner ce soir avec papa. »

Toujours sans comprendre, je vis un moment de grâce, ne sachant pas encore ce que cela signifie.
Durant le chemin, environ deux heures de route, nous restons silencieux.
Nous sommes côte à côte, je sens qu'elle est là présente près de moi, mais ***il n'y a pas de compte à rendre,*** *il n'y a pas de sujet de conversation particulier.*
Nous allons simplement vivre et partager ensemble ce cadeau de la vie.
Je pense que pour elle, c'est aussi une réconciliation, ***une guérison,*** *car elle n'est plus retournée dans ce lieu depuis 30 ou 40 ans.*
Mon père et ma mère sont très distants l'un de l'autre, et se sont rarement revus.
Lorsque nous arrivons chez mon papa, il doit être 22 heures.

Dés la porte ouverte, il demande des nouvelles de ma maman, comment va son pouce, alors qu'il ignore qu'elle en souffre.

Il a mis une bouteille de champagne au frais, et préparé un repas.

Au dessert, le délice

Je les écoute, mais ne les entends,
ils parlent pourtant.
Leurs têtes en continu s'affirment,
le cœur est absent, *c'est la prime.*

De l'entreprise, ils font partie,
pour déjeuner, du temps, ils ont pris.
Dans leurs assiettes la nourriture
s'exprime,
ils ne peuvent le sentir, pour eux,
c'est l'abîme.

Pour ne pas couler,
ils ne cessent de nager !
Prenez conscience, le temps ne peut
s'arrêter,
vous n'avez qu'une heure, pour
apprécier.

La cuisine et le cuisinier,
complice de son état,
avec amour, pour vous a composé,
l'assiette, le décor, qui devient votre
plat.

La serveuse souriante et rêveuse,
vous l'apporte et bon appétit vous
souhaite.
Elle aussi de son travail, est
amoureuse.
Vous ne voyez pas, je vous observe,
vous n'en faites qu'à votre tête.

La vie est là,
devant vous,
juste dans votre assiette.
Votre tête vous manipule, fait ses
emplettes,
à votre insu, ce n'est pas vous !

Je suis assis, tout près de vous,
en silence.
J'ai la radio trottoir en direct.
Merci de m'aider à prendre
conscience,
qu'à chaque coup de fourchette,
la vie me gâte, c'est fou.

C'est grâce à la passion et le savoir-
faire du cuisinier,
plus cette jeune femme ***au service de***
la vérité,
que je peux l'accueillir.
Sans vous entendre, ***juste en vous***
voyant courir.

Nous prenons l'apéritif dans le salon, assis dans de vieux fauteuils abîmés et inconfortables, mais je me sens bien, ***j'ai d'un côté mon père et de l'autre ma mère.***

Je commence à leur poser des questions sur mon enfance.
Je partage avec eux, ***une image qui hantait ma mémoire depuis toujours.***
La seule image, que j'aie de mon père et de ma mère, ***est celle de deux adultes en train de se battre.***

Je devais avoir 3 ou 4 ans, j'avais entendu du bruit dans le sous-sol du pavillon de banlieue dans lequel nous habitions. J'étais sorti de ma chambre, avais descendu les marches de l'escalier du 1er étage vers le rez-de-chaussée et entrouvert la porte donnant accès à l'escalier du sous-sol, ***assistant à leur insu, à une scène de violence.***
J'étais retourné me coucher sans rien dire, ***prisonnier de la peur.***
Quelque temps plus tard, la sonnette retentissait à la maison, des policiers venaient emmener mon père.
C'était la seule image de mes parents ensemble, que j'avais en mémoire.

Celle qui justifie la haine et le rejet ***que je n'avais cessé de ressentir vis-à-vis de ma mère.***

À la suite de ce fabuleux voyage, de ce repas familial, à ce moment de grâce et son acceptation, ***je pouvais enfin me libérer et gommer cette image destructrice, pour toujours.***

Le ressentiment

*C'était la seule image de mes parents ensemble
que j'avais en mémoire, celle qui justifiat la haine et le rejet.*

Lorsque j'ai partagé ce secret avec eux, ils ont compris immédiatement le sens de ma demande.

Tout était simple, ***il n'y avait aucun reproche*** *qui n'était fait aux uns et aux autres. Lorsque je posais une question, car dans ma mémoire c'était confus, l'un et l'autre essayaient de répondre,* ***personne ne cherchait à dominer ou à prouver quoique ce soit.***

Il régnait véritablement une grande paix, l'atmosphère était douce !

Après cette auto guérison, *nous sommes passés à table, nous avons dîné, le repas était agréable. Ce jour-là, j'aurais accepté que l'on me serve à manger en me disant* ***« une cuillère pour papa, une pour maman », j'en aurais enfin compris le sens !***

Pour moi, c'était un moment exceptionnel, auquel ils participaient en toute simplicité, c'était spontané, donc merveilleux.

Je crois que l'on aurait pu m'offrir n'importe quoi d'autre, ***ce que je venais de m'offrir en exprimant mes besoins, me comblait et je ressentais en moi la guérison s'opérer.***

C'était un bout de chemin, simplement une étape, que j'accomplissais ***avec ce désir de transparence, sans chercher à juger, l'un ou l'autre.***

Cette expérience était fascinante.
J'allais enfin être une personne libre et aimante. *Je venais de vérifier, que je pouvais modifier mes comportements primitifs.*

Le brouillard de l'inaccessible se dissipait pour laisser la place au petit enfant de continuer résolument sa croissance.

Après le repas, je propose à ma maman : « Si tu le souhaites, nous repartons sur Bruxelles et tu découvriras le lieu dans lequel j'habite. »
Ma maman, souffrait beaucoup, suite à de nombreux dysfonctionnements physiques, elle aurait auparavant refusé en prétextant des difficultés de tout ordre. ***Ce soir-là, ce n'était pas le cas.***

Sur le chemin du retour, en voyant illuminer la cathédrale de Chartres, elle me demande :
« Pouvons-nous faire un détour vers la cathédrale ? »
Il doit être 1 heure du matin.

Une fois arrivé au pied de la cathédrale, nous descendons de voiture, et tout naturellement nous nous prenons par le bras, comme des amoureux pour marcher et apprécier cet édifice majestueux.

C'est un moment de réunification, la communication est définitivement rétablie.

Elle ne comprend rien de ce qui se passe, je crois que moi non plus.
Mais nous nous autorisons à vivre un état de grâce par rapport à nous-même ***et à exprimer l'affection intacte que nous avions l'un pour l'autre.***

Nous sommes allés déguster un café ou un thé, je ne sais plus.

J'ai conduit à nouveau jusqu'à Bruxelles, ce qui représentait plusieurs centaines de kilomètres.
Le voyage au total a dû représenter environ 800 à 1000 km parcourus durant la journée.
Je n'étais pas fatigué et n'avais à aucun moment souhaité m'arrêter, me reposer.
Nous avons roulé sans dire un mot pendant encore 3 ou 4 heures avant de rejoindre Bruxelles au petit jour.

Je lui ai fait découvrir mon appartement, montré le lieu ou elle allait se coucher.
Ce n'était pas un lit, mais un matelas à même le sol. Une situation inconcevable pour ma maman, il lui fallait un lit, et tout le confort nécessaire que puisse demander une personne de 65 ans.

Elle accepta et se coucha, ***en oubliant même de prendre ses médicaments pour dormir.***
Au moment où elle s'est couchée, je lui ai dit :
« Mon amie est à une demi-heure d'ici, je vais aller la chercher, je reviens. »

Durant tout ce voyage, je n'avais ressenti aucune tristesse, aucune envie de pleurer malgré tout ce qui c'était passé.

Au moment où j'ai retrouvé mon amie, je n'ai pas pu retenir mes larmes de joie.
Tout le voyage retour, entre le lieu où elle habitait à Bruxelles et chez moi, je n'avais fait que pleurer.
J'étais incapable de conduire normalement. ***J'avais posé ma tête sur son épaule et ne faisais que pleurer.***

Je sentais que toutes mes émotions se libéraient, que c'était auprès d'elle que je pouvais me confier, car ***elle pouvait les accueillir,*** *et me comprendre.*

Une fois de retour dans mon appartement, j'ai présenté mon amie. Elle ne fit pas de réflexion, mais je ressentais du jugement, car mon amie était d'une autre origine culturelle et beaucoup plus jeune que moi.

Ces 48 heures, représentent pour moi aujourd'hui le départ d'une nouvelle vision de la vie et de l'interprétation des événements.
Si je m'étais dit :
Tu vas aller serrer ta maman dans tes bras et éprouver du plaisir.
Tes parents tu n'as pas le souvenir de les avoir vus ensemble à la maison, et bien ce soir tu vas dîner avec eux.
Tu vas parcourir 1000 kilomètres, consommer de l'alcool, ressentir de la joie, de la peur, tout cela m'aurait paru impossible».

Quelle métamorphose ! J'étais méconnaissable, lorsque je me suis couché dans les bras de mon amie, ***je venais de réaliser mon rêve !***
Aujourd'hui 6 ans plus tard, écrire cette histoire, c'est pour moi un très beau cadeau que je me fais, car très progressivement ***j'ai accepté d'expérimenter les pouvoirs de mon cœur et d'offrir mes observations.***

C'est à mes yeux, une des plus belles histoires que je vais partager dans ce livre.

C'est le point de départ de la prise de conscience de la totale incompréhension

que je pouvais avoir de moi-même.
C'est la découverte de l'ignorance dans laquelle je vivais.

C'est également la prise de conscience des dégâts causés par l'intolérance et les sentiments que l'on peut éprouver par rapport à soi et aux autres, lorsque **le jugement et la destruction, sont nos seuls guides sur cette terre.**

Cette expérience me permet de dire à haute voix, qu'il est possible en un instant de gommer une image destructrice du passé, **en devenant responsable de ses actes.**

Je considère qu'à chaque instant, j'ai le choix de rejeter la vie ou bien de l'aimer.

À la fin de cette journée, j'avais un tout petit peu ressenti ce que pouvait représenter l'expression **« être responsable de ».**

En 48 heures, je venais d'accepter qu'à aucun moment ma maman ou mon papa n'ait été responsable de mon malheur, de mes souffrances, mais que j'en étais inconsciemment l'auteur.

Je ne comprenais pas encore pourquoi et comment tous ces mécanismes avaient dirigé ma vie, dans une fuite permanente.
Intolérant, voulant dominer, contrôler, *essayant par tous les moyens que les autres soient conformes à ma façon de penser.*
Cette aventure, m'a donné le courage d'entreprendre des travaux d'observation sur mes comportements.

Je ne peux que remercier tous ceux, et toutes celles, qui ont sous toutes formes contribué à cette prise de conscience.

Depuis ce jour, je n'ai cessé de consacrer une grande partie de mon temps à la découverte de tous ces mécanismes et partager les conclusions que chaque expérience a pu m'enseigner.

Les partager aujourd'hui, par ce livre et ce CD, est pour moi légitime. J'ai attendu 6 ans pour le faire, car je pense que j'avais besoin de grandir encore, ***afin de raconter l'histoire de ce petit garçon.***

Être capable de transmettre une histoire, pas une image.
Depuis ce regard nouveau n'a jamais cessé de m'aider dans l'amélioration de la qualité de ma vie.

J'apprécie un peu plus chaque jour ce que l'univers m'apporte, me donne.

Simplement, voilà ce que j'ai vécu le 2 octobre 1997.

Merci papa
Merci maman

La vengeance

Je cesse définitivement de combattre la vie

Lettre de vœux à l'Univers

Je marche à côté de mes pompes,
je suis en baskets.
Je ne sais plus où je mets les pieds,
je dois pourtant me rendre sur place
en grande pompe.
Je tourne en rond, me casse la tête.
L'œil de la vie me regarde, me fait des pieds de nez.

Arthur, aide-moi, toi la grande truffe,
je suis las de partout mettre mon museau.
Toi avec ta robe noire, ton magnifique pelage,
un pas après l'autre, guide mon corps sauvage.

Je vieillis, je me regarde, je ne les vois toujours pas là-haut.
Les années passent, mon corps traduit mon âge.

Arthur que puis-je faire pour,
comme tu me le montres chaque jour,
attendre ton repas, qu'au sol, je pose ta gamelle.

Aujourd'hui, je ne supporte plus de me taire.
Je ne peux plus refouler ce que je ressens depuis toujours.

J'entends chanter la vie, elle est belle.

Arthur dis-moi pourquoi l'homme
est resté à quatre pattes.
Oui, comme moi tu le vois debout,
mais ressens-tu sa fragilité, ***il a***
toujours besoin de se battre.
Crois-tu qu'un jour, il ira jusqu'au
bout ?

Moi je fais partie de cette race,
depuis ma naissance, je combats la vie.
Aide-moi au plus vite à faire volte face,
je souhaite comme ces enfants qui
meurent de faim au Mali,
conserver au plus profond de moi le
désir de survie.

Il est grand temps que la race des
hommes,
découvre son pouvoir d'aimer.
Que tous les chefs d'États, les
décideurs ordonnent,
« Posons les armes et commençons à
nous regarder .»

Arthur la détresse des hommes
m'inquiète,
toi le Beauceron adolescent,
ne vois-tu pas déjà l'après tempête ?
Toi qui aimes la vie, juste parce que tu
la ressens.

Nous partageons l'air et le pain
ensemble.
Le peu de moyens et l'espace
restreint nous rassemblent.
Alors pourquoi l'homme n'a jamais
assez d'espace ?
Dans ton regard je lis ***« parce qu'il***
n'accepte pas de voir la peur en face. »

Celui qui n'a pas de travail cherche
à tuer le temps,
celui qui en a trop, se tue à plein
temps,
que souhaite-il attraper de si haut ?

Entre le ciel et la terre,
l'espace lui est offert.
Entre la montagne et la mer,
il peut jouer, lire Prévert.

Alors, pourquoi a-t-il besoin de
champs de bataille ?
Au milieu du conflit comme un hot
dog.
Peut-être a-t-il besoin de cela pour
se sentir au chaud.

Je devrais proposer de laisser les
champs aux vaches,
et à l'homme de rentrer au bercail.
Auprès de la cheminée,
il pourrait bûcher,
pour s'offrir le monde de demain qu'il
aurait dessiné,
sans oublier le cœur, dans le dessin
animé.

Merci stylo pour ce que tu écris.
Merci à l'encre de couler.
Merci au papier de recevoir mes
idées.
Merci aux lecteurs de me lire sans
arrière pensée.

La confiance

Une expression d'amour sur terre,
un monde débarrassé de culpabilité

"La vie fais moi vivre une nouvelle expérience, je veux continuer à grandir"

Voilà Chantal, nous poursuivons notre voyage, nous sommes aujourd'hui près d'un petit village qui s'appelle Veyne, face à une distillerie de lavande. Nous sommes toujours tous les trois avec Arthur dans le camping car.

Je me souviens d'une aventure vécue au cours d'une mission au Sud Soudan pour une organisation humanitaire.

Ce que je vivais avec mon amie depuis six mois, devenait tellement insupportable, insoutenable, que ***j'ai demandé à l'Univers*** *de m'envoyer ailleurs, pour continuer à me découvrir, et vivre d'autres aventures.*

L'idée m'est venue de téléphoner à une organisation humanitaire, dont j'avais fait partie quelques années auparavant, et de leur demander, s'ils n'avaient pas besoin d'un logisticien dans l'une de leurs missions.

La réponse ne s'est pas fait attendre. On me parle directement au téléphone d'une équipe basée au Sud Soudan. Elle recherchait une personne pour prendre en charge la coordination d'une équipe technique, pour une action alimentaire d'urgence, dans une zone de conflits aigus.
Sans chercher à obtenir davantage de renseignements sur le type de la mission et les conditions, j'ai donné mon accord.
Le lendemain, je partais pour Paris. Je me trouvais à cette époque, en Belgique. Dans le bureau central de cette agence, j'accomplissais les différentes formalités, et un jour plus tard, je prenais l'avion pour la frontière du Sud Soudan via Nairobi.

"La vie fais moi vivre une nouvelle expérience, je veux continuer à grandir"

À la frontière du Kenya, je montais à nouveau à bord un petit avion, piloté par un as. Il n'avait pas peur de la guerre, ni des risques qu'ils encouraient, en survolant des zones de conflits, pour nous déposer sur notre lieu d'action.

Dès le début de ce voyage, je commençais à vivre des situations étonnantes.
Voici une des petites anecdotes rigolotes du voyage aller, ayant eu lieu lors du transfert d'un avion de ligne nationale Kenyane vers notre destination finale.
Il faisait une chaleur torride, j'avais très soif. J'étais en compagnie d'autres personnes de l'équipe et nous décidions d'aller nous rafraîchir dans une buvette locale, qui se trouvait au bord de la piste de brousse.

J'avais commandé une boisson, et au moment de la payer le serveur me dit : « Cette boisson est déjà payée. »

Je n'ai pas cherché à comprendre davantage, ***J'ai remercié la vie pour ce cadeau et j'ai continué mon chemin.***

C'était assez étonnant que dans cette zone désertique et conflictuelle, on m'offre ma collation, alors que j'étais dans un débit de boisson commercial.

La vente pour ce commerçant était son unique et maigre source de revenu.
Nous sommes repartis dans un tout petit avion, assis au milieu des cantines et du matériel d'urgence, indispensable pour installer ensuite notre camp et démarrer notre action.

"La vie fais moi vivre une nouvelle expérience, je veux continuer à grandir"

L'objectif principal, construire de façon provisoire un centre de distribution de vivres à l'aide des matériaux locaux et installer un entrepôt pour stocker les différents produits.
Il y avait entre autre, de l'huile, de la farine, du riz et des biscuits enrichis qui contenaient les substances essentielles dont le corps humain à besoin, ***pour survivre.***

Après quelques heures de vol, nous avons atterri dans une zone totalement désertique et ***ravagée par la guerre****.*
Le pilote nous a déposés sur une piste réduite à sa plus simple expression, une longue bande de terre battue, permettait à l'avion d'atterrir uniquement dans certaines conditions météo. (sans vent, sans pluie !)
Les membres de l'équipe de la même organisation nous accueillirent.

Là commençait à proprement dit notre mission.
Le premier travail fut de nous installer, c'est-à-dire planter notre tente, et définir un petit périmètre dans lequel nous allions vivre, un peu à l'écart des populations en grande souffrance.
Il nous fallait prévoir également l'approvisionnement en eau potable.

Durant cette mission, j'ai vécu plusieurs événements qui m'ont mis dans ***un état de révolte et de colère, que je n'arrivais absolument pas à maîtriser.***
Un dimanche soir, une des infirmières chargée d'un orphelinat, d'environ soixante enfants, vient me trouver, et me dit :
« Jean Pierre, nous étions partis samedi et dimanche dans une autre mission, et je me suis rendu compte ***que***

personne n'a nourri les enfants pendant mon absence.

Ils sont restés 48 heures sans manger, *c'est incroyable !*

Peux-tu ouvrir l'entrepôt et leur distribuer des vivres ? »

Je réponds spontanément « oui », et que je vais chercher immédiatement les deux autres techniciens, pour transporter la nourriture jusqu'à l'orphelinat.
Je les informe de cette initiative.
Ils réagissent outrés, et s'opposent énergiquement à la mise en œuvre de cette action, en argumentant :

« Nous sommes dimanche soir, il est 17 heures, pas question d'ouvrir l'entrepôt et de donner à manger à ces enfants, nous verrons lundi matin. »

Quand j'entends cette réponse, observé ce comportement, ***j'explose de colère !***
Je commence à hurler et à insulter ces deux personnes, en essayant de leur faire ***prendre conscience et comprendre,*** *que nous n'étions pas là pour prendre des vacances, ni pour avoir des horaires..., mais pour essayer au maximum* ***de donner à chaque instants le meilleur de nous-mêmes.***
Ne pas oublier que notre présence auprès de ces populations, est de ***contribuer à une aide humanitaire,*** *sans ménager nos efforts.*

Nous sommes sur place pour une courte période, ***la situation nutritionnelle est catastrophique.***

La fuite

Je me suis mis à fuir,
j'avais honte de moi-même, je me sentais coupable, lâche.

Il faut agir au plus vite dans cette région d'Afrique défigurée par la guerre civile et religieuse.

Je me sens impuissant face à leur attitude, je ne suis pas capable de maîtriser l'énergie de colère, et de révolte qui traverse mon corps.

Devant **ce sentiment d'indifférence de leur part,** *ne pouvant plus communiquer tant ma souffrance est importante,* **je me mets à fuir** *en courant, hors du camp de base, désespéré, allant nulle part.*

Je me répète :
« Mais qu'est-ce que l'on est venu foutre ici !
Qu'est-ce que ces gens sont venus faire !

Qu'attentent-ils d'une telle mission ? »

S'ils ne sont pas disponibles pour aller chercher sous une tente, quatre cartons de biscuits **et les distribuer à soixante gamins en état de survie,** *qui n'ont pas bouffé depuis deux jours !*

Je ne suis pas **capable de communiquer** *ce message, tellement* **la rage en moi m'étouffe, me paralyse.**
Après m'être suffisamment éloigné du campement, je m'effondre par terre en pleurant.
Je me sens profondément blessé, ne sachant absolument plus quoi faire vis-à-vis de ces enfants.
J'ai honte de moi-même, je me sens coupable, lâche.

Je deviens fou !

Tellement ces propos me paraissent irrecevables !

"La vie fais moi vivre une nouvelle expérience, je veux continuer à grandir"

Je reste sans bouger, la pluie commençait à tomber.
Il n'y a pas très loin de là des autorités civiles et militaires.
Elles m'observent de loin et viennent à ma rencontre, se demandant ce qui se passe.
J'essaye, malgré mon état émotionnel de leur expliquer en anglais la situation.

Que soixante gamins n'ont pas mangé depuis 48 heures, et que je veux ouvrir l'entrepôt, pour leur distribuer des vivres, mais que les autres personnes de l'équipe s'y opposent.

Ils sont ***stupéfaits*** *de me voir dans cet état, eux qui ont* ***l'habitude de côtoyer la mort chaque jour depuis des années.***
Je ressens de leur part sans protocole, ***de la compassion, de l'amitié.***

Ils m'emmènent dans le campement.
Avec leur aide et leur réconfort, je me rétablis.
Je n'essaye pas de comprendre, ***mais d'accepter ce qui se passe****, en me remettant au plus vite de mes émotions. Elles m'ont totalement submergé, me rendant* ***incapable d'exprimer la légitimité de ma décision,*** *(distribuer la nourriture) tout simplement.*

Chaque jour, je me trouvais face à des situations dont ***l'ego de l'homme était le metteur en scène.***
Nous avions du personnel autochtone qui travaillait pour nous, dont la fonction était de nous assister dans les taches quotidiennes. Par exemple, assurer l'approvisionnement en eau et préparer nos repas etc....
Ces personnes étaient comme les autres, ***en état de survie.***

"La vie fais moi vivre une nouvelle expérience, je veux continuer à grandir"

Il y avait de nombreux décès chaque jour, les uns mourants de faim, les autres de maladies, les conditions d'hygiène déplorables ne faisaient qu'accélérer le processus destructeur.
La population auprès de laquelle nous étions, avait fui leur village, **terrorisée par la violence d'une guerre qui n'en finissait pas.**
Traquée par les rebelles, et prise en otage au milieu du conflit.

Ces gens étaient totalement déracinés, incapables de pouvoir cultiver pour subvenir à leurs besoins.

Ayant pour seule nourriture les feuilles et les écorces des arbres.

Nous étions là, pour les aider à survivre, durant les tractations politiques, jusqu'à l'aboutissement d'un accord de paix et qu'ils puissent enfin retourner en toute sécurité dans leurs villages.

Le travail n'était pas de réaliser des structures d'accueil à longs termes, ni de sédentariser ces hommes et ces femmes, mais de leur donner chaque jour, ce dont ils avaient besoin pour rester en vie.
Le personnel qui travaillait pour nous, était dans le même état sanitaire.

En échange de leurs prestations, nous donnions des rations alimentaires, du savon etc....

Pour moi, il était évident que chaque jour, **nous donnerions la nourriture aux personnes qui travaillaient pour nous.**
Pour l'équipe médicale de la même organisation qui travaillait sur place, la

démarche vis-à-vis du personnel local était différente.
Le coordinateur avait décidé de donner **que tous les quinze jours à manger** *au personnel travaillant pour eux !...*
« Et qui mourrait aussi de faim. »

Je me trouvais donc dans une situation totalement inconfortable, car au sein de l'équipe logistique que je dirigeais, j'insistais pour qu'un repas leur soit donné chaque jour, sans exception.

Mon attitude, remettait en question leur politique, je commençais sérieusement à déranger...

Les personnes travaillant avec moi n'étaient toujours pas en accord avec cette décision et considéraient que l'on devait leur donner tous les quinze jours, le reste du temps, **ils devaient se débrouiller, mourir peut-être !**

Il y avait au quotidien ce genre de conflit.

À titre personnel, je décidais de ne faire qu'un repas par jour, et d'offrir l'autre au personnel.

Ca dérangeait !

J'avais beau leur expliquer, que s'ils avaient envie de donner une cigarette à quelqu'un, ce n'était pas mon problème, **c'était leur choix, leur responsabilité.**

Partager mon repas, c'était aussi mon choix.

Toutes les attitudes que je pouvais avoir, et qui me paraissaient légitimes dans ce contexte d'urgence, remettaient en question les autres personnes de l'équipe, ***réveillaient leur conscience.***

Je n'avais aucune intention de nuire à qui que ce soi, j'étais simplement un homme sensible aux malheurs d'autrui, essayant en plus du faire, de donner à chaque fois que possible une partie aimante de l'être.

"La vie fais moi vivre une nouvelle expérience, je veux continuer à grandir"

Voici une autre histoire étrange.

Nous avions finalement réussi à construire un espace de distribution d'environ mille mètres carrés, avec l'aide du personnel local.
La construction était sommaire, réalisée à partir de morceaux de bois, de cordes et tout ce qui traînait, pour arriver à délimiter un espace clos qui était divisé en trois parties.
La première, pouvant recevoir environ cinq cents personnes, la partie centrale, avait la forme d'un couloir permettant aux femmes et aux enfants, en file indienne, de circuler en recevant les biscuits auxquels ils avaient droit.
Un dernier périmètre, toujours à l'intérieur du centre de distribution, était à leur disposition pour manger tranquillement leurs biscuits, avant d'être à nouveau en contact avec le reste de la population.
Car les plus faibles, se faisaient battre par les grands pour leur voler leur repas.

Un lieu de distribution dans un endroit pareil représentait la survie.
C'était très difficile de contenir la foule pour que les parents et les enfants, y accèdent en ordre et dans le calme.

Nous avions commencé le matin à 6 heures. Toute la population avait été avertie la veille. Il y avait entre deux et trois mille personnes qui attendaient.

Pour contenir cette foule, les autorités locales avaient recruté une vingtaine de gardiens munis de bâtons.

*Lorsque que je suis arrivé, **j'ai vu les gardiens frapper sans distinction sur la foule** qui essayait de se rapprocher le plus possible du centre, pour être les premiers à y entrer.*

*Quand j'ai vu cette scène, **j'ai décidé d'agir sans réfléchir,** pour mettre fin le plus rapidement possible à ces comportements.*

*Très progressivement, j'allais auprès de ces gardes, et sans leur parler, **je prenais leur main,** je leur faisais signe d'arrêter de frapper sur ses gens.*

Après quelques minutes,** il n'y avait plus un seul gardien qui maltraitait cette population ou la repoussait violemment. Je me suis glissé au milieu de cette foule, je me suis éloigné des barrières du centre de distribution d'environ cent mètres, toutes les personnes se sont retournées et m'**ont suivi en silence.

Quand j'étais assez loin, je me suis arrêté, et sur le chemin du retour, je mettais ma main sur leur épaule pour leur faire comprendre qu'il fallait s'asseoir et attendre.
Les femmes transmettaient religieusement ce message à leurs enfants.

Cela paraissait surréaliste!

*Devant une salle de cinéma, nous pouvons imaginer que la foule va se calmer, mais pour recevoir à manger alors qu'on meurt de faim, les effets d'une telle action paraissaient **un peu illusoires !***
Le comportement rationnel était sans doute de faire usage de la violence,

Le miroir

Les femmes transmettaient religieusement ce message à leurs enfants

afin de calmer les gens par la peur.

*J'avais ressenti que ce n'était pas cet outil que je voulais utiliser, mais plutôt une complicité, **faire usage de mon cœur pour leur parler, les aimer.***

*Effectivement après une demi-heure, **il y avait deux à trois milles personnes assises en silence** qui attendaient qu'on leur fasse signe pour se lever et pénétrer dans le centre de distribution. Sous les regards interrogateurs des gardiens désœuvrés, **ils n'avaient rien compris à ce qui s'était passé, et moi non plus.***

*À quelques centaines de mètres de là, il y avait un dispensaire et des centres de santé de brousse qui étaient **attaqués à coups de jet de pierres par la foule en colère.***

C'était la même chose, il y avait dans un centre de santé des médicaments, des ressources vitales, dont les gens avaient besoin.
Nous n'étions qu'à quelques centaines de mètres de là.

J'ai demandé que l'on ouvre les portes du centre, et très progressivement, je les invitais à entrer. Essayant de sélectionner les personnes les plus souffrantes, c'était les consignes que l'on m'avait données.

*Mais **c'était impossible pour moi, de choisir, laquelle était la plus proche de la mort…***
Je faisais entrer tout le monde, par tranche de quatre à cinq cent personnes.

"La vie fais moi vivre une nouvelle expérience, je veux continuer à grandir"

Ces femmes et ces enfants, n'avaient plus que la peau sur les os.

Mais quelque chose m'avait surpris, c'était de voir que même dans ces conditions, ***il y avait un sourire sur leur visage, ils étaient des vivants morts, animés d'une flamme intérieure qui faisait battre leur cœur.***

C'était ce cœur, que je lisais sur leurs lèvres.
Je ne voyais que de la beauté en eux.

J'étais épuisé et sale.
Les conditions d'hygiène étaient catastrophiques, mais je ne ressentais rien d'autre ***que le langage de l'amour qui nous reliait.***

C'était ce contact qui avait rendu possible cette distribution dans le calme.

Cette distribution a duré plusieurs heures, à chaque fois une nouvelle vague de femmes et d'enfants entrait. Elle recevait des biscuits et passait dans l'autre espace pour manger avant de quitter le centre.

Nous avions commencé à 6 heures du matin, il devait être 14 heures et je n'avais cessé d'être là, ***humblement au service de la vie.***

Quand tout a été terminé, j'étais serein. Il faisait très chaud, tout près de moi, il y avait un gros tas de cartons, les emballages vides des biscuits. Je suis resté là, ***n'ayant plus la notion du temps.*** *L'objectif que nous nous étions fixés avait été atteint, c'était la première distribution organisée dans ce lieu inhospitalier, dans des conditions de sécurité minimum, à l'épicentre d'une* *guerre fratricide.* ***Un succès incontestable, une belle victoire face à la peur.***

Je ne pouvais comprendre pourquoi cette population révoltée, affamée avait reçu ma demande, et appliqué les conseils sans réagir.

Ces femmes, ces enfants ainsi que les vieillards avaient attendu sagement leur tour, pour entrer et recevoir leurs biscuits, tout cela sans aucune agressivité.

Sans pouvoir répondre à cette question, dans un sommeil profond, ***en paix au milieu de la guerre,*** *je me suis effondré inconscient sur ce tas de cartons. Dans cet état de conscience modifiée, j'entendis une voix lointaine, tentant d'attirer mon attention, en prononçant mon prénom.*

Je me réveillais, sans trop savoir ce qui se passait.

J'aperçois un homme d'une quarantaine d'années qui m'appelle. Je me relève péniblement, et me dirige vers lui :
« Jean Pierre, j'ai à te parler. »

Je l'entends sans vraiment l'écouter, car je ne suis pas encore disponible, confondant le rêve et la réalité !

Après quelques secondes, il me dit :
« J'ai à te parler, ***tes collaborateurs se plaignent de ton comportement, tu es devenu très dangereux pour les équipes.***

"La vie fais moi vivre une nouvelle expérience, je veux continuer à grandir"

Je comprends parfaitement que tu craques, car la situation est difficile, mais je ne peux pas me permettre de te laisser plus longtemps ***insécuriser l'équipe !***
Tu vas immédiatement prendre tes affaires et monter à bord de l'avion qui m'a amené, nous repartons ensemble dans deux heures.
Direction Nairobi et ensuite Paris, ta mission est terminée. »

Au moment où il prononce ces mots, je me mets à tourner en rond sur moi-même ; je ne sais plus où je suis, je l'entends, mais je ne me sens pas concerné.
J'ai l'impression d'être entre deux mondes, celui dans lequel je viens de vivre, qui me parait beau, juste et humain. Et celui du ***« ici et maintenant »*** *en présence de ce robot,* ***dépossédé de son cœur, de son âme,*** *qui me fait peur,* ***ce monde ou l'homme veut tout contrôler, dominer.***
J'observe son attitude, il est submergé par la peur, ne pouvant plus accepter de la ressentir, prenant à la hâte une décision, ***en croyant que je suis à l'origine de cette peur.***

Toute cette analyse, je l'ai faite un peu plus tard.

Une fois que j'ai fini de tourner en rond je lui dis :
« Si tu penses, que ta décision est juste, et bien je te suis, je vais rentrer avec toi. »

Je suis incapable, de trouver ma direction, je ne sais plus du tout comment rentrer au camp, qui est à quelques centaines de mètres de là.

Le discernement

Ces paroles me perturbent profondément, au moment où je goute avec une telle intensité le sens même de la vie!

"La vie fais moi vivre une nouvelle expérience, je veux continuer à grandir"

Ces paroles me perturbent profondément, au moment où je goute avec une telle intensité le sens même de la vie !

Je finis par retrouver ma direction, nous rentrons au campement. Je prends mon grand sac à dos, ainsi que le petit d'urgence, toujours prêt en cas d'attaque inopinée.
Je monte à l'arrière dans la benne d'un véhicule tout terrain, juste en sortant du camp, je croise une personne qui surprise de me voir partir précipitamment me dit :
« Où vas-tu ? »
Je lui réponds:
« Je rentre »
« Pourquoi rentres-tu ? »
« Apparemment, ma façon de travailler et de communiquer, n'est pas conforme à la pensée du groupe, par conséquent, j'insécurise tout le monde.
Le siège de l'organisation humanitaire à Paris, a décidé de ***m'éliminer*** *pour que le groupe reste uni !*
Pour qu'il n'y ait plus ***de perturbateur ayant une autre forme de pensée,*** *une autre approche de la façon dont on peut travailler dans ces pays, ou règne la guerre avec comme pain quotidien la famine. »*

Je pleure en constatant, que depuis le début de cette mission qui durait depuis plusieurs semaines, tout se déroulait très bien avec les partenaires nationaux, mon rôle avait été d'améliorer la communication avec les autorités, afin d'intégrer nos actions dans leurs projets.
La façon dont je travaillais insécurisait les membres de l'équipe, car ils ne voyaient pas ***que j'utilisais mon cœur, pas le pouvoir artificiel et illusoire de l'ego !***

"La vie fais moi vivre une nouvelle expérience, je veux continuer à grandir"

Voici un exemple. Dans les fonctions qui m'étaient confiées, il y avait comme prérogative principale, de développer avec les autorités locales, la milice religieuse, les militaires, des relations harmonieuses, afin de faciliter notre action sur le terrain, et améliorer l'efficacité de notre travail.
Nous avions entre le déchargement des vivres du petit avion qui arrivait sur une piste en terre et le centre de distribution, deux à trois kms à parcourir à pieds. Nous pouvions réduire cette distance à cinq ou six cents mètres à condition de créer un autre chemin. Pour cela, il fallait défricher sur dix mètres de largeur, pour créer un nouvel accès plus direct.

Nous avions besoin de ressources humaines et animales, des charrettes, des ânes, des outils etc....

Nous avions donc informé les autorités de notre désir de tenir une réunion. J'en avais parlé aux deux logisticiens qui travaillaient avec moi, et nous avons défini ensemble les questions qu'il fallait poser aux autorités, c'est-à-dire les besoins minimums pour entreprendre ce travail.
J'avais convenu avec eux, que je serai le porte-parole de l'équipe face aux autorités.
Il fallait faire vite, sachant qu'il y aurait des rotations d'avions plusieurs fois par semaines dès que le centre serait opérationnel.

Le jour de cette réunion arrive, ***nous nous retrouvons au pied d'un arbre en compagnie d'une dizaine de personnes.*** *Comme la coutume le veut, nous nous présentons, puis nous saluons les autorités, en les remerciant de nous accueillir accueillir.*

"La vie fais moi vivre une nouvelle expérience, je veux continuer à grandir"

Je ne pose au cours de cette réunion ***aucune question de façon explicite, en ouvrant la bouche.*** *Les autorités commencent à parler, et à chaque fois qu'une réponse est formulée,* ***j'envoie par la pensée une autre question.***

Après une demi-heure de dialogue ! ***Nous avons reçu l'accord pour toutes nos requêtes,*** *personnel, ânes, outils. Les autorités ordonnent d'aller chercher des ânes et des charrettes dans une autre localité, à plusieurs dizaines de kilomètres.*
Ils promettent de fournir du personnel pour défricher le terrain, tout ce dont nous avons besoin nous est accordé, ***sans que j'ouvre la bouche pour formuler une requête.***

Lorsque j'avais rencontré pour la première fois les autorités, elles avaient été très inquiètes, de voir arriver des observateurs étrangers sur les lieux du conflit.
Lors de cette rencontre, je leurs avais dis que ***je ne leur parlerais pas avec ma tête, mais avec mon cœur,*** *et qu'avec* ***le langage du cœur sans frontière,*** *il ne pouvait y avoir d'incompréhension !*
Au cours de cette réunion, c'est exactement ce qui c'était produit, ***j'avais communiqué par la pensée avec mon cœur.***

Nous ne parlions pas la même langue, nous n'avions pas la même culture, ni la même religion, cela n'avait aucune importance. C'était tout simplement des hommes qui venaient partager avec d'autres hommes leur savoir-faire.

"La vie fais moi vivre une nouvelle expérience, je veux continuer à grandir"

En rentrant de cette réunion, j'ai fait remarquer aux deux techniciens qui étaient présents, que je n'avais posé aucune question, pourtant nous avions reçu les moyens utiles pour démarrer le projet.

Ils reconnaissaient les faits, mais ne l'acceptaient pas.

Au pied de l'arbre

J'aime cette odeur de paille,
je la sens dès les premiers pas dans l'écurie.
Ici règne le silence, personne ne braille,
dans ce havre de paix, ***le cheval grandit.***

Avec l'expression de la joie sur mon visage,
ce matin, rempli de bonheur et de bonnes intentions,
sur la route de l'amour, je négocie un virage.
Mon état de santé s'améliore, j'en ai l'impression.

Au cheval, je dois ma passion.
À mon papa chéri, l'énergie.
À ma maman que j'aime, les émotions.
Je me regarde, je suis ravie.

Toute ma vie, j'ai travaillé ***pour plaire,***
aux autres*, en renonçant à moi-même.*
Aujourd'hui, je me regarde, je ne suis plus la même,
avec Radamès, je me sens reine et le laisse faire.

Hier après-midi, j'étais triste,
dans ma tête, s'accélère le tourbillon de la vie.
Avec toi, Radamès, la complicité nous rassemble,
ici et maintenant, je souhaite vivre heureuse, j'insiste.
À l'idée de te reconduire au box, je tremble.

J'accepte le temps qui passe. *C'est*
l'heure de me blottir auprès de
l'homme que j'aime.
Il est là, partout et nulle part,
il m'attend, il écrit.
Ce qu'il voit, ce que le vent lui dit.
Au pied de l'arbre, qui comme un
phare,
lui indique le chemin.

Il accepte de regarder, que dans la
nature, il prend un bain.
Que tout près de la femme qu'il
aime, sur son cheval élégant et racé,
il a enfin trouvé sa place.

Dans sa main, entre ses doigts,
le stylo, à son insu, déambule sur la
feuille de papier.
Il ferme les yeux, un instant en
équilibre dans le néant,
sa beauté, sa silhouette se dessine, il
la voit.

Son visage s'illumine, *assis dans*
l'herbe, à ce moment sur la terre,
plus rien ne l'agace.
Son cœur explose, il est devenu
super géant,
tout devient accessible, il s'autorise à
aimer.

Il n'attend presque rien.

Il reçoit déjà, tout l'amour qu'elle
lui envoie.
Du haut de son cheval, son désir,
semer le bien.
Tout son talent, elle lui offre, il ne
peut qu'accepter.
Que dans tout jeu, il y a une règle.
Vouloir dominer est peut-être un
piège.

La vie est si simple, pourquoi user de
stratèges.

"La vie fais moi vivre une nouvelle expérience, je veux continuer à grandir"

La dernière anecdote est beaucoup plus joyeuse.

Pendant que je me reposais sous ma tente, l'idée de recevoir une nourriture améliorée me traversa l'esprit. Hé! oui, après plusieurs semaines à manger des rations alimentaires et des boîtes de conserves, ce fantasme est apparu.
***Je rêvais soudain de belles et grandes tranches de jambon, de fromage bien français** et surtout avoir quelques nouvelles de ce qui passait dans le monde.*

J'avais besoin de m'évader de ces camps de la mort d'une manière ou d'une autre !

Nous n'avions pas de poste radio, excepté un émetteur récepteur ondes courtes pour communiquer avec l'avion et la base intermédiaire à la frontière du Sud Soudan et du Kenya.

***Je souhaitais recevoir le journal, «Le Monde », en français,** car en anglais c'était pour moi un peu trop difficile à lire. Il ne faut pas oublier, que j'étais dans un pays anglophone en état de guerre, les journaux en français étaient excessivement rares et ne pouvaient provenir que de l'étranger.*

J'avais totalement oublié cette pensée.

Lorsqu'un un jour un homme arrive dans le campement et demande « Jean Pierre. »
Je suis à ce moment-là devant ma tente et discute avec un journaliste, je lève le doigt, et réponds : « Jean Pierre c'est moi. »

L'homme s'approche avec un sac en plastique et un journal à la main.
Il me dit :
« C'est pour toi »
Et repart aussitôt, sans me donner plus d'information.

Je regarde de plus près le journal, ***c'était le Monde en français !***
Je commence à pleurer de joie, ne croyant pas mes yeux !

Cela me paraît totalement irréaliste.

J'ouvre le sac en plastique, ***je découvre environ un kilo de fromage et une quantité incroyable de jambon !***

Là, ***j'éclate de rire*** *et je m'adresse à l'homme en face de moi, tout excité.*
« C'est extraordinaire, nous sommes à des milliers de kilomètres d'une zone civilisée, où il existe des commerces pouvant fournir tout ça !
Et je reçois en pleine brousse, par je ne sais quel pigeon voyageur, exactement ce dont j'ai rêvé, il y à quelques jours, ni plus, ni moins ! »

Je ressentais une joie intense, un réconfort inespéré *et pourtant indispensable pour continuer à vivre cette fascinante aventure.*
J'étais là pour partager avec des hommes et des femmes leurs difficultés, leurs souffrances.

La vie me faisait encore un cadeau, sur cette terre tout était possible, il suffisait de le demander, et d'être capable de le recevoir.
Le journaliste ne pouvait comprendre, en quelques mots je lui expliquais l'origine de l'histoire.

"La vie fais moi vivre une nouvelle expérience, je veux continuer à grandir"

Lorsque le soir au moment de se mettre à table, un membre de l'équipe a ouvert le réfrigérateur, stupéfait, il s'exclame
« D'où vient cette nourriture ? »
Je réponds que j'ai reçu un sac plastique contenant jambon et fromage.

« Comment as-tu passé la commande ? »

« En envoyant une pensée, je l'avais même complètement oublié. »

C'est immédiatement tourné en ridicule, ne pouvant accepter qu'il y ait d'autres moyens de communiquer sur cette terre, que celles qui sont limitées à nos cinq sens.

C'est sur les dires des membres de l'équipe, que le siège à Paris, a conclu que ***je deviens fou****, peut être dangereux et qu'il faut d'urgence interrompre ma mission.*

Durant tout le voyage retour qui dura deux jours, ***je suis mis à l'écart.***
C'est très difficile de l'accepter.
Je n'ai pas le sentiment d'avoir accompli des actes injustes dans le cadre de mes fonctions, ***il m'est reproché ma façon de penser et de communiquer.***

Il faut dire que je fais partie de ces organisations depuis de nombreuses années. Je n'en suis pas à ma première mission, et ***10 ans plus tard, on a un autre regard sur des actions, dites humanitaires,*** *même si l'on se trouve sur des terrains qui nous sont connus et dans un contexte similaire.*

Les années d'expériences apportent une lecture nouvelle sur des événements apparemment semblables.

"La vie fais moi vivre une nouvelle expérience, je veux continuer à grandir"

Suite aux changements soudains de programme, il faut absolument que je prévienne en Europe, mes amis pour leur dire que je rentre plus tôt, mais surtout pour qu'ils m'aident, sur le plan psychologique à vivre et accepter la situation.

Car en plus de me sentir incompris, ***j'observe sur place, le comportement égocentrique des hommes, avec ce besoin de dominer, ce besoin de pouvoir.***
Certes le contexte n'est pas le même, nous ne sommes pas dans un petit village de province bien paisible allant chercher son pain à la boulangerie et discutant sur le pas de la porte.
Nous sommes au milieu d'une population qui se déchire pour convertir son prochain à vivre et penser comme lui.

J'observe que notre fonctionnement était exactement le même.

Je ne vois aucune différence entre le conflit qui se traduit par des armes, et celui que je peux vivre au sein ***d'une équipe qui ne fait que reproduire les mécanismes de notre société à des milliers de kilomètres.***

Le décor est africain, le paysage ravagé par des années de guerre sans pitié. Soulignant encore davantage l'homme dans toute ***sa capacité à diriger son énergie dans la destruction, avec pour intention de détruire d'autres hommes.***

"La vie fais moi vivre une nouvelle expérience, je veux continuer à grandir"

Je constate également que de nombreuses personnes de l'équipe sont malades.

Pour communiquer avec mes amis en Belgique, il faut que je trouve un téléphone satellite, ce qui est rare et interdit dans cette zone.

Je rencontre par hasard un expert, qui me permet d'utiliser discrètement son équipement pour prévenir mes amis.
Je peux donc établir un contact et être aidé à distance, pour vivre le mieux possible cet état de frustration, et de rejet.
J'ai été fort malade pendant une nuit, ensuite je suis reparti en avion vers Paris via Nairobi.
Au siège de l'organisation à Paris, j'ai essayé d'exprimer ce que j'avais vécu, et observé, du travail que nous faisions.

Quelques personnes que j'avais connues, il y a dix ans dans cette agence, ressentaient la même chose. C'est-à-dire que ***plus l'organisation augmentait, moins on savait ce que l'on était venu y faire.***

Pour la majeure partie des personnes, les missions étaient organisées de façon militaire, pragmatiques depuis les beaux bureaux parisiens.
Comme base, des statistiques, des performances, des accords de financement, ***qu'il ne fallait en aucune façon remettre en question.***

Le travail devait se faire comme ça, même si l'on observait sur le terrain que l'on n'atteignait pas les objectifs, mais qu'au contraire, la situation se dégradait.

"La vie fais moi vivre une nouvelle expérience, je veux continuer à grandir"

A la suite de mon départ, les difficultés à organiser ces distributions de vivre, se sont accélérées.

*Plus d'avion ne pouvait atterrir sur place, tout devenait compliqué.
Des conflits avec les autorités apparaissaient, alors que pendant les premières semaines, il y avait une belle complicité.*

Je ne vais pas m'étendre sur ce sujet, car l'objectivité est très difficile, lorsque l'on est concerné.

Voilà cette histoire du Sud Soudan.

J'étais parti là-bas, car ce que je vivais ici était insoutenable. Je me suis retrouvé à des milliers de kilomètres de chez moi, je n'étais plus auprès de mon amie ***et j'observais encore que ce que je vivais était insoutenable.***

La leçon de cette mission et l'enseignement de la vie, étaient :

Peu importe où j'allais et ce que je faisais, ***tant qu'en moi-même je n'avais pas acquis une certaine unité, un équilibre intérieur,*** *je restais vulnérable aux événements extérieurs.*

Tant que je ne prenais pas de recul par rapport à ce que je vivais, que ***je restais dans le jugement,*** *je serais dans toutes les situations, inconfortable.*

***Je serais dans toutes les relations avec le monde extérieur, incompris.
Pour la simple raison, que je n'acceptais pas l'autre tel qu'il était.***

"La vie fais moi vivre une nouvelle expérience, je veux continuer à grandir"

Je voulais lui imposer ma façon de voir et de penser, en croyant qu'elle était appropriée.
Peu importe ce que nous faisons, à partir du moment où nous sommes en accord, accepter que l'autre ne comprenne pas, c'est justement garder le contact avec lui, ***c'est la matérialisation d'une empreinte de sagesse.***

Dans une telle situation, avec l'énergie destructrice qui régnait, c'était encore au-delà de mes forces.
Mon mental prenait le dessus, la révolte m'envahissait, la colère se traduisait et à partir de là, plus aucune communication avec personne n'était possible.

J'avais perdu le contact avec mon cœur.

Merci à ceux, qui à Paris par leur décision et sur le terrain, aux membres de l'équipe m'ont permis de prendre du recul.

La mission du Sud Soudan restera pour moi, une des plus importantes et enrichissantes dans ***l'enseignement de la vie et des lois universelles.***

L'intuition

J'ai choisi de prendre à nouveau du recul dans notre relation, et de partir en voyage en Turquie, demain matin.

"Où allons-nous, connais-tu le chemin ?"

Nous sommes le 27 décembre 2002, je vais vous raconter une histoire qui s'est déroulée en Turquie.

Tout d'abord, j'avais à nouveau vécu des moments difficiles avec mon amie, il devenait urgent de trouver une échappatoire, de m'éloigner.

Un matin en rentrant du bureau du service des eaux, après m'être acquitté d'une facture, je passe devant une agence de voyage.
Je vois exposée dans la vitrine une publicité décrivant les richesses architecturales et culturelles d'Istanbul, en Turquie.

Un voyage était proposé à un prix très attractif.
Je rentre dans cette agence, et ***décide de m'offrir un séjour d'une semaine.***

Départ le lendemain matin à 7 heures 30, ***vers l'inconnu !***

Je n'avais plus donné de mes nouvelles à mon amie depuis plusieurs jours, lorsque le soir même, au téléphone, je lui annonce:
« J'ai choisi de prendre à nouveau du recul dans notre relation, et de partir en voyage en Turquie, demain matin. »

Il devait être 17 heures, au téléphone, elle insiste pour me faire comprendre qu'elle souhaiterait que nous vivions ce voyage ensemble.

« Si tu as envie de m'accompagner, passe dans cette agence de voyage et achète un billet, ***nous continuerons peut-être nos aventures en Turquie ! »***

Elle se débrouille par tous les moyens pour arriver à l'agence de voyage avant qu'elle ne ferme. Je l'avais attendue.

J'avais au préalable précisé, que je ne paierais pas ce voyage, que le financement lui incombait.
Depuis le début de notre relation, j'étais devenu un distributeur de billets, le code : la séduction, le mensonge, la manipulation…

Une fois arrivée dans l'agence, elle commande un deuxième séjour et au moment de payer, elle recommence une comédie.
« Attendez, il faut que j'aille chercher de l'argent dans le distributeur, je reviens tout de suite… »

J'observais la situation, sans faire de projection basée sur mes expériences passées, en me disant qu'elle avait peut-être aujourd'hui les moyens de se payer le voyage.

Elle revient du distributeur, étonnée de n'avoir pu faire usage de sa carte, se noyant dans des explications invraisemblables et toujours pas d'argent pour payer.

Cela faisait partie de ce que j'avais à travailler, à dépasser, qui était de payer pour l'autre, lorsqu'il n'avait pas les moyens de réaliser un achat. **La culpabilité servant de porte monnaie.**
Je finis par céder et accepte de lui avancer les fonds pour ce voyage, faisant totalement abstraction de mon désir initial.

En sortant de l'agence, nous commençons à nous quereller, car je sen-

La culpabilité

Je finis par céder et accepte de lui avancer les fonds,
la culpabilité servant de porte monnaie !

tais bien que je n'étais pas du tout en accord avec ma décision et qu'une fois de plus, **j'étais victime de mes faiblesses, souligné d'un profond renoncement à moi-même.**

J'avais l'intention de partir seul et **quand elle était auprès de moi, qu'elle insistait, je cédais à nouveau.**

Nous n'avons pas pu rester plus d'une heure ensemble, que la communication devenait impossible.

En représentation dans la rue, **qui servait une fois de plus de décor de théâtre, dans lequel nous répétions sans nous lasser la traditionnelle dispute de couple.**

Je décidais finalement de partir seul, et de ne pas gaspiller ce billet d'avion, étant convaincu, qu'il ne me serait jamais remboursé.

Une fois rentré seul chez moi, l'idée d'offrir ce séjour à un ou une inconnue passe dans ma tête et me séduit.

Je téléphone à des amis et les informe de ce projet:
« Je pars demain en Turquie à Istanbul pour un séjour tout compris d'une semaine, j'ai une place, si vous avez un ami qui est libre, je lui offre ce voyage. »

Vers minuit, le téléphone sonne :
« On a un copain qui n'a rien à faire, il est d'accord pour partir avec toi. »

Qu'est ce que la vie allait me réserver comme surprise ?

La séduction

J'étais devenu un distributeur de billets, le code : la séduction, le mensonge, la manipulation...

"Où allons-nous, connais-tu le chemin ?"

« Hé! bien ce billet sera pour lui, rendez-vous demain à sept heures à l'aéroport. »

Nous faisons connaissance devant le guichet de la compagnie et nous voilà prêts pour le départ, toutes formalités accomplies.

Je vais faire une brève description de cette personne, je le baptiserais pour ce récit, Rebel : c'était un homme d'une trentaine d'années, le crâne rasé, bardé de tatouages, le profil mercenaire.

Ce n'était pas tout à fait mon style, ni le genre de personne faisant partie de mon carnet d'adresses, mais j'acceptais de jouer le jeu et d'offrir ce voyage, peu importe qui se présenterait.

Nous voilà partis pour Istanbul, nous arrivons dans un hôtel très confortable, et progressivement, nous faisons connaissance, nous commençons à partager la vie de l'un et de l'autre.

Rapidement, je me sens excessivement loin de cet homme, de sa façon de penser, de vivre, de son comportement dans le monde extérieur.

Rebel était très attaché à son image, à ses apparences, ne pouvant sortir dans la rue sans un couteau dans une poche et un autre objet de défense dans la main, par exemple un journal enroulé sur lui-même en forme de matraque. ***Vivant constamment dans la peur de l'agression.***

J'étais parti là-bas pour découvrir cette capitale cosmopolite, à la frontière des cultures orientales et occi-

dentales. J'avais relativement confiance en cette aventure, je ne savais pas ce qui m'attendait, mais je n'avais pas de crainte particulière.

Dès le premier jour, nous nous sommes promenés ensemble dans les rues très animées de la capitale. Passant d'une mosquée à une autre, toutes plus grandes et majestueuses les unes que les autres.
Parfois je m'autorisais à découvrir leur sérail, à me recueillir quelques instants au cœur de cet ouvrage d'art, **ne pouvant rester indifférent à un passé spirituel chargé de sagesse.**

À plusieurs reprises, durant nos excursions, il y avait des signes précis qui révélaient parfois ses peurs et ***l'état d'insécurité qui le hantait.***
Dans les rues, des vendeurs ambulants accostent fréquemment les badauds pour leurs vendre des cartes postales ou des friandises.
Comme par hasard c'était à lui qu'ils s'adressaient, insistant, le poussant à bout, au point de l'énerver afin qu'il se fâche.

Au cours d'une après midi, nous nous sommes séparés pour accomplir des activités différentes.
Lorsque nous nous sommes retrouvés, il avait été la victime d'une tentative de vol, un homme avait essayé malgré son allure, de lui dérober l'argent qu'il possédait dans sa poche kangourou attachée autour de la taille.

C'était chaque jour ainsi, pas de trêve pour les amis de la peur !

L'orgueil

C'était chaque jour ainsi, pas de trêve pour les amis de la peur,
j'étais victime de mes faiblesses, souligné d'un profond renoncement à moi-même.

"Où allons-nous, connais-tu le chemin ?"

Voici une autre anecdote insolite, un peu différente des autres.

Rebel voulait en permanence **tout contrôler,** *tout vérifier, tellement le manque de confiance en lui le rendait inquiet, toujours sur le point d'exploser de colère.*

Nous nous promenions depuis environ deux heures dans le gigantesque souk de la ville, composé de cinq ou six cents échoppes, lorsque nous passâmes devant un petit bistrot.

À l'extérieur de celui-ci, dans la ruelle, sur un sol en pavés de granit gris, étaient disposées deux petites tables et quatre chaises, qui tendaient les bras aux futurs clients. Elles étaient recouvertes d'une jolie et coquette nappe à carreaux rouges et blancs.

Cette nappe avait attiré notre attention et en même temps, nous réalisions que depuis le début de notre séjour, nous n'avions pas dégusté un délicieux café italien.

Alors pourquoi pas, nous voilà en train passer la commande de deux expresso. Il faut savoir que dans ce pays c'est le café turc qui est généralement servi, il est très fort et le marc fait partie intégrante du breuvage.

Après cette pause, nous poursuivons notre chemin, direction l'hôtel, le soleil amorçait lentement sa descente derrière les minarets, la voix de l'imam invitant les hommes à la prière, l'accompagnait en paix.

Les commerçants allumaient des petites lanternes devant leur boutique pour signaler leur ouverture en soirée.

La foi

Quelle que soit la situation, j'essayais de ne pas me départir de ma bonne humeur.

"Où allons-nous, connais-tu le chemin ?"

Dans les dédales de cet immense marché couvert, la lumière disparaissait progressivement pour laisser la place à un décor nocturne intimiste, ***la métamorphose du lieu me fascinait.***

Cette journée aurait été sans intérêt, si l'expresso ne nous avait procuré tant de plaisir, notre palais avait gardé en mémoire l'arôme délicat et subtil de cette boisson.

Le lendemain matin, avant de poursuivre la découverte des lieux insolites de cette ville, vient à notre palais la mémoire du café, sans hésitation, nous optons pour renouveler la dégustation.

Mais aucun de nous deux, ne se souvient de l'adresse exacte, ni de l'emplacement au cœur du marché couvert.

Je lui dis :
« Si nous ne savons pas où aller, nous allons demander à ce qu'on nous y conduise. »

Nous voilà partis à travers cet immense marché. À plusieurs reprises, Rebel me demande :
« Où allons-nous ? Connais-tu le chemin ? »

Je l'ignore totalement, ***mais j'ai demandé à mon âme d'utiliser mes jambes pour nous y emmener.***
J'ose confier mon plan à Rebel, prenant le risque de recevoir en retour un sourire moqueur.

Quelle que soit la situation, j'essaye de ne pas me départir de ma bonne humeur.

Effectivement, quelques minutes plus tard, arrêté au milieu d'un croisement nous apercevons par hasard sur notre droite dans une petite ruelle, à quelques mètres de nous, le fameux bistrot.

Je suis le premier surpris de cette coïncidence, mais néanmoins heureux, étant convaincu que la partie est jouable.

Rebel attribue ce fait à la chance, pourquoi pas !

*Pendant la pause-café, je réalise qu'à aucun moment, **je n'ai demandé ma route, ni regardé un plan.***
Pas facile de demander une adresse lorsque vous l'ignorez !

Cela l'étonne sans plus, il s'abstient de tout commentaire, le résultat est incontestable.

Je lis sur son visage, le doute,** comment sa tête peut-elle **comprendre et accepter une situation qu'elle ne contrôle pas ?

Il n'y a rien à comprendre, juste tenter une expérience, laisser la vie nous guider.

L'humilité

Il n'y avait rien à comprendre, juste laisser la vie nous guider.
Durant cette semaine la vie n'a jamais cessé de nous enseigner l'humilité.

"Où allons-nous, connais-tu le chemin ?"

Un autre jour, nous devons nous rendre dans un endroit de la ville qui est beaucoup plus éloigné et dans lequel nous n'étions jamais allés.

Nous voyons sur le guide touristique, qu'il existe un lieu d'exposition abritant des sculptures et objets d'arts provenant de tout le pays.
Nous souhaitons nous y rendre.

Je lui suggère d'employer ***le même moyen de transport*** *(couleur café) que lors de la première tentative.*

« On va essayer d'y aller sans lire de carte, ni demander quoique ce soit »

Nous avons marché pendant deux heures environ. Lorsqu'il me dit :
« Quand même! J'aimerais bien regarder la carte et voir où l'on se trouve, on va jamais y arriver ! ».

Au moment où l'on s'arrête, il sort la carte de sa poche, nous regardons notre position, ***nous sommes à 50 m de cette galerie.***

Une fois encore l'intuition nous avait guidées jusqu'au but.
Nous avons pu profiter de ce lieu splendide, et admirer les objets créés par les artistes turcs.

Durant cette semaine, la vie n'a jamais cessé de nous enseigner l'humilité.

Avec Rebel, pendant ce séjour, nous partagions notre existence, cherchant à découvrir ***pourquoi cette rencontre imprévue.***

En ce qui me concernait, je lui décrivais mon comportement affectif et lui expliquais que mon travail personnel consistait, pendant des périodes relativement courtes, mais régulières à m'éloigner de mon amie, ***pour me remettre en question et observer ce qui me rendait réactif en sa présence.***

Accepter l'inconnu, m'aidait à me connaître davantage*, je ne pouvais dans ce contexte ne compter que sur mes possibilités,* ***prendre la responsabilité de mes actes****. Je ne tolérais plus une situation floue, et ressentais plus facilement mon mental agité sous l'influence de la peur.*

Je me donnais le droit de ne plus fuir devant les épreuves de la vie*, qui je pense sont indispensables pour* ***entretenir mon foyer de croissance personnel.***

Je quittais résolument mon costume cravache de victime impuissante.

Cette approche lui paraissait totalement inaccessible, car pour lui sur cette terre, tout devait être compris et contrôlé.
Il avait appris à pratiquer des arts martiaux, il possédait une grande expérience de combat, la violence ayant fait partie de sa vie quotidienne.
Il me racontait les manifestations auxquelles il avait participé.
Un de ses jeux favori était de tomber à terre devant les forces de l'ordre, avec dans la main une lame de cutter ou bien une pointe de compas et de s'attaquer aux mollets.
C'était une multitude d'histoires comme ça ! Les femmes n'étant pas épargnées.

"Où allons-nous, connais-tu le chemin ?"

Lorsque j'entendais ces récits, j'étais littéralement consterné, ***comment l'homme pouvait-il éprouver du plaisir dans la cruauté ?***

Cette semaine passée en sa compagnie fut ***un calvaire mémorable.***

Oui, je ne voulais plus vivre des relations affectives tumultueuses, des mélodrames, mais ***pourquoi payer si cher sa liberté !***

La semaine touchait à sa fin heureusement le séjour ne durait qu'une semaine, au-delà, je me serais retrouvé vieilli de dix ans, avec une barbe couleur poivre et sel !

Je me suis demandé, pourquoi la vie avait mis sur mon chemin une personne si destructrice, ***considérant la vie sur terre comme une lutte éternelle.***

N'arrivant pas à cohabiter avec une femme, je finissais par enregistrer dans ma mémoire, ***qu'il m'était impossible de pouvoir communiquer avec les femmes****, tant ma réactivité était forte auprès d'elles.*
Au cours de ce voyage, je me suis rendu compte, que j'étais tout aussi réactif auprès d'un homme.

Par conséquent, qu'avions-nous en commun ?

Sans doute, la peur, mais alors pourquoi je ne la ressentais pas !

Mon cerveau occultait *cette sensation* ***pour me permettre de continuer à vivre dans l'illusion,*** *attaché à un comportement artificiel,* ***me privant de fantaisies vagabondes.***

Cependant, je n'avais pas opté pour une expérience monacale de la vie, qui aurait pu en atténuer les effets secondaires indésirables.

Devrais-je attendre d'être épuisé de fatigue pour m'impliquer dans une véritable expression d'amour inconditionnel ?

La succession d'aventures ne m'apportait toujours pas l'effet escompté, ***découvrir les infinies possibilités invisibles que l'homme possède.***

Peu importe où je me trouvais, à Istanbul, au pied de la tour Effel, sur le pont Mirabeau, ***il ne tenait qu'à moi de satisfaire mes désirs pour combler mes attentes.***
Le sexe n'avait aucune importance.

Je me devais à la suite de ce séjour ***de remettre en question cette conviction.***

Je pouvais parfaitement cultiver une vie harmonieuse avec une femme, ***la solution était simplement d'accueillir sa façon de vivre, son comportement et d'observer à nouveau ce que cela réveillait en moi.***

Lorsque je marchais auprès de cet homme, je ne percevais pas du tout la peur, alors qu'auprès de mon amie, c'était hallucinant, ***j'étais en effervescence perpétuelle.***

De retour en France, je n'ai plus revu Rebel, ***j'étais enthousiaste de poursuivre ma démarche évolutionniste, à la découverte du paradis terrestre…***

La colère

Ma folie, ils étaient capables de l'aimer inconditionnellement.

Aujourd'hui, je pose les armes.

Je l'attendais, le moment, l'instant ou je pourrais observer et recevoir sans condition l'énergie d'amour.

Depuis quelques semaines la rédaction de la dernière histoire m'était impossible, je ressentais le vertige. Je me sentais anéanti par le poids de cette révélation. ***Il devenait pour moi insupportable de tourner la dernière page de ma vie de victime impuissante.***

Je n'osais pas regarder l'avenir ensoleillé qui me guettait jour après jour. J'arrivais au bout de ce long tunnel de l'incapacité à accepter la vie et toute la joie qu'elle procure.

J'avais profondément peur ***de ne pas savoir nager dans un océan de bonheur*** *où chaque goutte d'eau est chargée d'une partie de moi-même .*

Aujourd'hui je pose les armes, je cesse définitivement de combattre la vie.

Je fais le serment au contraire de me mettre à son service, en donnant à chaque instant le meilleur de moi-même.

Ce jour, je viens de le vivre, voilà la raison pour laquelle, la dernière histoire peut être écrite, partagée, car elle résume tous les travaux que j'ai accomplis durant ces dernières années.

Je vois au tréfonds de mon corps, vibrer la transparence, la sincérité, et l'authenticité.

Aujourd'hui, je pose les armes.

C'est à mon sens le propre de cet ouvrage réalisé avec l'aide de mon cœur et de tous ceux qui, jusqu'à ce jour m'ont aimé sans jamais faillir, lorsqu'ils étaient témoins de gigantesques transformations qui s'opéraient en moi.

Ma folie, ils étaient capables de l'aimer inconditionnellement.

Ce livre d'histoires, ils en sont les coauteurs, c'est pour moi en le partageant ma façon de leur dire, ***vous m'avez pris la main pour m'apprendre à aimer.***

C'est le titre de ce livre, il leur est adressé directement, ainsi qu'à tous ceux qui accepteront de le recevoir.

Le 25 janvier 2003, je croise du regard la femme que depuis de nombreuses années j'attendais. Celle que progressivement, au fur et à mesure du décodage des messages de la vie, ***je m'étais autorisé à dessiner, à désirer.***

Je ne l'attendais pas vraiment, mais au fond de moi-même, je savais que l'instant venu, je ne pourrai la nier. Sa présence serait immédiatement identifiée par mon cœur.

Sa représentation énergétique inonderait mon corps de ressemblance. Je ressentirais l'unité au-delà de la compréhension.

Je savais également que sa beauté traduirait sans détours la femme élégante et gracieuse d'une infinie générosité. Que son charme serait ***l'expression de l'audace et du courage qu'il faut posséder pour apprendre à aimer.*** *Je ne savais pas où et quand je serais prêt à la croiser sur le chemin de l'amour.*
J'acceptais humblement de vivre auprès d'elle, ici et maintenant.

Un soir, dans le courant du mois de février, je décide de passer à l'acte, l'acte d'amour, celui qui consiste à semer en acceptant l'inconnu, en acceptant que mon être prenne ma main et me conduise auprès d'elle.

En rentrant à bord de mon camping-car, avec Arthur, je prends dans un magasin une revue locale de petites annonces gratuites. Une fois à bord de ma maison mobile, je commence à consulter les annonces de tous genres.

Je n'avais pas d'intentions conscientes, je parcourais du regard les pages les unes après les autres. J'accorde un peu plus d'attention à la rubrique « motos », je recherchais une moto plus légère et moins puissante que celle que j'utilisais à ce jour.

Et puis, je tourne la page, je suis sous la rubrique « rencontres. » Dans mon esprit, un feu d'artifice de pourquoi pas se déclenche. Il fait nuit au dehors, et soudain une lumière puissante éclaire mon futur.

***Sans me poser de questions,** je saisis un beau papier toilé de couleur sable ainsi que mon stylo plume. Je viens d'observer que je suis en accord pour m'engager dans une relation amoureuse.*

***Je me sens disponible et responsable** pour assurer les effets secondaires d'une demande écrite à l'univers.*

Immédiatement mes yeux scannent les petites annonces, mon stylo fait des croix, des cercles, souligne.

J'arrive à la fin de cette corrida, le toréador accepte la phase ultime.
Il se sent usé par le combat contre lui-même, il accueille la mort.
Il va se retrouver face à lui-même, il ne se donne plus le droit de fuir, son esprit est au repos, la peur n'a plus sa place.

Je prends mon stylo et écris à une inconnue. Sur ce beau papier, je me couche déjà auprès d'elle. Je ne la connais pas, pas encore, et lui parle déjà.

Avec délicatesse, je reconnais et partage mes sentiments, lui ouvre la porte de mon cœur.
Elle m'attend, mais je ne le sais pas. Peu importe, tôt ou tard, je la rencontrerai, cette inconnue.

Aujourd'hui, nous sommes au mois d'avril et j'écris sur ce même papier depuis chez elle, cette exceptionnelle et joyeuse aventure amoureuse.

J'ai pris la décision de venir vivre auprès d'elle, *il y a une semaine, le 20 avril 2003, le jour de Pâques.*

Lorsque j'ouvre mon agenda, je lis ces quelques lignes qu'elle avait écrites à mon insu dix jours auparavant, lors de mon premier séjour, chez elle, dans ses bras, dans sa tanière.

« Un œuf géant au chocolat avec lequel je te fais des tonnes de bisous, signé mon cœur. »
À la page du 17 avril, elle avait écrit au-dessous du nombre 17:
« Nombre de bisous que je te fais par minute. »
Le 14, elle avait rédigé cela:
« Aujourd'hui je m'arrache de tes bras, les larmes viennent à mes yeux et mon cœur se sent perdu. Je reste avec toi, je t'envoie tout mon amour, des baisers, des caresses, tout mon être est avec toi, je t'aime. »
Au-dessous un dessin, la tête d'un cheval, un peu comme celui de Don Quichotte, avec une bulle. « Elle revient me voir, moi aussi je l'aime ! » Il n'a pas signé mais je suppose que c'est Déclic.

Aujourd'hui, je pose les armes.

Au 26 avril écrit en caractères gras sur mon carnet de rendez-vous. « Avec qui seras-tu aujourd'hui ? De toute façon avec moi. »
Elle avait déjà dessiné, elle aussi, notre futur. *Effectivement, le 26 j'avais annulé tous mes rendez-vous pour être auprès d'elle, prendre le temps de vivre et de l'aimer.*
Notre rencontre n'est que ***le fruit de notre travail personnel,*** *une multitude de circonstances nous ont amenés l'un près de l'autre.*

A l'origine.

J'ai rédigé deux lettres adressées à deux inconnues, en réponse aux petites annonces. Je me suis couché, avec pour souhait, que dès le lendemain matin à la première heure, je me dirigerais vers le siège du journal pour déposer moi-même dans la bouche de la boîte à lettre, ***ces deux enveloppes remplies d'acceptation.***

Durant la journée, sur le chantier ou je travaillais à la restauration d'une splendide cage d'escalier en pierre, je décide de téléphoner à la fille de la cliente, que j'avais rencontré quelques semaines auparavant. Lors d'une visite de travail sur place, elle était venue accompagner sa maman et découvrir sa nouvelle maison.

Pendant cette brève rencontre, j'ai éprouvé le besoin de lui offrir comme cadeau d'anniversaire, un pot de confiture que j'avais cuisiné avec plaisir, en mariant un pamplemousse avec des oranges et du citron. Hé oui !
C'était également son jour de naissance. *Je le lui avais présenté dans un joli*

sac en papier couleur tendresse, j'avais également glissé une petite bouteille de champagne, conçue exclusivement pour tenir peu de place dans le réfrigérateur de mon véhicule.

Mais ce n'était que la partie visible de mes sentiments.

Dans ma tête, l'idée de lui offrir également une partie de moi-même me semblait légitime. Pourtant, je venais de la rencontrer que quelques instants et rien ne laissait paraître ***l'existence d'une ligne directe entre nous,*** *installée à notre insu.*
Je ne réfléchis pas, durant les heures qui ont séparé l'invitation de la soirée, je décidais de choisir quelques poèmes.

Un, écrit pour remercier mon chien Arthur de m'accompagner, avec tant d'indulgence et de compréhension dans ma vie quotidienne.
Et un autre sur le comportement des hommes intitulé :

L'art d'aimer est devenu l'armée, *écrit par une main d'adulte avec un regard d'enfant.*

Cette femme, dès les premières minutes, avait aimé mon compagnon à quatre pattes, c'était pour moi un signe révélateur de sa générosité.

Sur le chemin du retour, Arthur, dans le creux de mon oreille, avait partagé avec moi les bienfaits que les caresses de cette femme lui avaient apportés. J'étais heureux pour lui, car il le méritait..
Cet adolescent de neuf mois avait aussi besoin d'une maman, qui sait l'aimer n'est ce pas ?

L'encrier de l'amour

Arthur, tu es là étendu de tout ton long toutes pattes comprises.

Lorsque je t'observe, tu ne demandes rien et tu reçois tout ce dont tu as besoin.
Tu me parles parfois et je ne te comprends pas.

Non, je ne me comprends pas.

Je dois certainement t'entendre, puisque j'éprouve une grande joie auprès de toi et puis je suis à ton service.

Je ne me souviens pas, que nous ayons signé un contrat de cohabitation tous les deux.

Peut-être, je ne peux te lire, voir ton encre de sagesse ?

À l'école des humains, je me demande ***si nous apprenons à communiquer vraiment.***
Oui, j'ai appris à lire et à écrire, avec des fautes d'orthographe, c'est ce que j'ai retenu.

Mais si nous avions appris à communiquer avec le cœur*, il y aurait sûrement moins d'humains qui chercheraient à tuer d'autres humains.*

Avec toi, je me demande si notre langage commun n'est pas puisé dans l'encrier de l'amour.

Et la plume invisible avec laquelle nous nous adressons de belles et douces lettres d'amour.
Celle de l'acceptation.

Pardonne-moi Arthur, je suis un bipède et je ne peux me mettre qu'à genoux devant ***les leçons d'humilité****, que tu me donnes chaque jour.*

Pas à quatre pattes.

L'heure du dîner arrive, pendant l'apéritif, je propose de lui offrir ces textes, et ***je m'engage à les lire à haute voix.***

Après avoir mis mes lunettes et respirer profondément, je commence la lecture.

J'entends le son de ma voix, je me sens tout entier au service de ce présent, je disparais pour laisser toute la place aux émotions.

Je suis rempli de gratitude, je me sens léger, détaché de toutes intentions. ***À aucun moment, je vois l'homme dans un jeu de séduction.***

Une fois la lecture achevée, mes yeux se dirigent vers elle, ce moment est complice. Je vis cet épisode, comme un révélateur des bienfaits d'une action juste. Ni trop, ni trop peu, ni en avance ou en retard.

Dans ses yeux, je lis le contact avec son cœur, les mots la touchent, mon regard est le sien, sa main pourrait être au chevet de mon stylo, l'encre serait aussi fluide.

Elle ne fait aucun commentaire, elle partage avec un profond recueillement, et ***accepte inconditionnellement mon cadeau.***
Je lui propose de lui expédier plus tard, par courrier les poèmes recopiés de ma main à son intention. C'est ce que je fais quelques jours plus tard.

Le lendemain matin nous déjeunons ensemble dans la maison en compagnie de sa maman.

Durant la matinée elle se prépare, son séjour touche à sa fin. Moi j'ai revêtu ma tenue de travail.

Au moment de nous quitter pour monter à bord de l'auto, qui allait les reconduire jusqu'à Paris, elle me glisse un petit bout de papier avec son numéro de téléphone. J'aperçois brièvement que le numéro est accompagné d'un mot « bisous. »

Quelques jours plus tard, je lui téléphone et exprime mon désir de lui envoyer les textes.
En reprenant ce petit coin de page déchiré. J'éprouvais de la joie, ce mot « bisous » émettait une énergie de tendresse. Je me laissais emporter par la douceur de ce bisou, ***donné spontanément, sans rien attendre en retour,*** *écrit juste pour le plaisir.*

Durant cette conversation téléphonique, je lui demandais son adresse, les poèmes étaient recopiés, l'enveloppe attendait de connaître sa destination pour se glisser au plus vite à l'ombre d'une boîte à lettre souriante.

C'était le premier pas, j'éprouvais du plaisir à l'idée que je serais dans quelques jours entre ses mains, que ces yeux allaient me lire, et peut-être briller de bonheur. J'étais convaincu que le partage serait apprécié, qu'elle saurait lire entre les lignes, là où par pudeur, je cachais encore mes sentiments.

Une semaine s'écoula. Avait-elle reçu mon courrier ?
La messagerie téléphonique ne me laissa pas sans réponse, elle était à mon

écoute. Après avoir remercié la boîte vocale, je décide de lui confier un message pour sa maîtresse.
Je poursuis mes occupations d'artisan en décoration. Lorsqu'en fin de journée mon téléphone sonne, la jeune femme donne une suite favorable à mon appel.

Je suis surpris de notre échange, il est affectueux, chaleureux, nous nous dévoilons partiellement. J'ose reconnaître et exprimer sans que cela me le soit demandé, que sa présence, sa silhouette sont omniprésentes dans ma tête. Je lui avoue également mon étonnement, un long silence souligne le caractère solennel de mes propos et lui offre l'opportunité, de me confier que dans sa tête les effets secondaires sont sensiblement les mêmes.

Nous ne sommes pas allés jusqu'à suggérer à l'autre de prendre un calmant ou un cachet d'aspirine pour anesthésier l'écho de ce parasite amoureux, qui nous hantait tous les deux.
Nous étions plutôt ***dans l'acceptation d'être contaminés par ce mal,*** *qui peut procurer tant de joie, s'il est précieusement entretenu.*

Au cours de cet échange, elle me fait la suggestion de me déplacer jusque chez elle dans le Loiret, pour découvrir sa passion et ses fidèles compagnons : les chevaux.
Elle insiste.
Là c'est trop. J'ai bien, très bien entendu.

Notre conversation téléphonique se termine sur une note de fruit exotique. L'acceptation mutuelle de nous revoir,

il ne tenait qu'à nous de le planifier. Ce qui se réalise dans les semaines qui suivent.
Pour moi, deux bonnes raisons de bouger, **de passer à l'action,** *monter au créneau, direction la Sologne.*

Après avoir longuement partagé mon état d'âme avec Arthur, nous décidons d'un commun accord de nous rendre chez Raphaëlle. Et oui, c'est son prénom.

Lorsque je me déplace habituellement, c'est avec le camping-car, mais cette fois, je veux prendre la niche mobile d'Arthur, dont je suis le chauffeur préféré. Il sait que je conduis prudemment, et que, l'homme n'a pas encore conçu de ceinture de sécurité pour un Beauceron adolescent.
Peut-être l'homme le considère sans valeur, ou bien manque t-il d'imagination ? Toujours est-il qu'Arthur sait que je prendrais, quelles que soient les conditions routières, en compte **sa présence et son insouciance.**

Lors de notre conversation téléphonique avec Raphaëlle, j'avais exprimé mon embarras de me déplacer avec Arthur, pensant aux difficultés que j'allais rencontrer pour nous loger.

Tous les hôtels ne conçoivent pas que le maître et son compagnon dorment dans la même chambre.

À cette hypothèse, elle avait répondu affirmant que la présence du chien ne poserait pas de problème, mais que ne pas l'amener serait une faute grave. Face à une telle réponse, je m'abstenais de développer d'avantage mes

interrogations.
Je considérais **que la porte de son cœur** *nous était grande ouverte à tous les deux.*
Encore une fois, un signe de sa délicatesse dissimulé judicieusement derrière des propos très pragmatiques, du genre que vous savez « un de plus ou un de moins à table ne change pas grand-chose. Quand il y en a poulain, il y en a pour l'autre. »
Cette phrase nous lançait déjà l'un vers l'autre au grand galop.
Je reconnaissais à cet instant que le plus difficile était toujours de faire **le premier pas,** *et pas un de trop. J'avais également trouvé la démarche quelque peu cavalière, car je ne l'avais rencontrée qu'une seule fois, et pourtant me rendre en famille chez elle, me semblait légitime.*
Je me sentais simultanément aveugle et clairvoyant. *Je ressentais à la pensée de la revoir de la chaleur.*

J'étais tout excité comme un enfant qui voit un cadeau au pied du sapin de Noël. Il est là, hésitant, cherchant à deviner ce qu'il contient, se demandant si c'est à lui qu'on l'a offert.
J'étais ce petit enfant prenant le temps d'accepter, et de recevoir ce que la vie a mis sur son chemin.

J'observais ma joie, mes angoisses. Cette femme je l'aimais déjà toute entière. Lorsque sa présence venait à mon esprit, je voyais un corps magnifique, son volume rempli de tendresse et de douceur.

Aux commandes ***une âme empreinte de sagesse,*** *au regard attentionné au service de la vérité.*

Son visage, la représentation fidèle d'une femme d'honneur, une femme tout amour acceptant de vivre sur cette terre, simplement pour expérimenter ***son pouvoir d'aimer.***

Quant à son cœur, c'était le mien qui me le décrivait avec discernement. Mon cœur tentait de se frayer un sentier, entre les peurs qui brandissaient des banderoles sur lesquelles était inscrit « cette femme est trop belle et trop parfaite pour toi, tu ne la mérites pas. » Mais mon cœur persévérait, insistait pour se glisser jusque sur le rebord de son lobe d'oreilles et déposer ces mots : « son cœur a pour la première fois tendu ses deux bras vers toi, il t'a choisi.

Une lumière bleue et jaune clignote sans cesse pour attirer ton regard. Il a écrit avec son encre de sagesse, Jean-Pierre mon amour, je t'attends.

Je ne pouvais plus renoncer, ***je devais prendre mes responsabilités.***
Personne ne m'avait obligé à écrire une lettre à l'univers pour demander de rencontrer une femme merveilleuse. Si je n'avais pas été prêt, j'aurais demandé une nouvelle moto par exemple, ou bien un ordinateur. Non, cette fois j'avais accepté de jouer dans la cour des grands. Quelques jours plutôt, j'avais écrit un poème intitulé « la lettre à l'univers », dans lequel j'écrivais :

« J'entends chanter la vie, elle est belle.
Acceptons de poser les armes, et dessinons le monde de demain sans oublier ***le cœur*** *dans le dessin animé. »*

Ici bas

Quelle journée, quel bonheur,
depuis ce matin, je ne me reconnais plus.
Je vis à cent à l'heure, j'ai peur,
que tu m'offres ta douceur, par-dessus tout.

Avant l'ouverture, j'étais devant le magasin,
je voulais acheter le monde de demain.
Dans le camping-car, faire le plein,
de petites attentions pour accompagner le destin.

Depuis notre premier regard au croisement de l'amour.
J'ai tout fait pour nier,
ce que j'avais découvert le premier jour.

Tu étais sur mon chemin pour m'apprendre à aimer

J'étais sur le tien, car tu guettais,
l'homme dans les bras duquel,
en toute confiance, tu t'autoriserais,
à exprimer la tendresse de Raphaëlle.

Ce soir, ces lignes pour toi, j'écris,
à la lueur de la bougie.
Je pense très fort à toi,
et déjà derrière la porte, je t'aperçois.

Je ne dirais rien, ne ferais pas un geste.
Sous la pluie, dans l'au-delà,
nos âmes se réjouiront, c'est manifeste.

De voir couler sur nos joues, ici bas,
des larmes chargées de joie.
Dans l'acte d'amour, nous
ressentirons la foi.

J'ai pour cet instant dessiné notre
lit,
dans cette couette en lin et coton.
Nos deux mains pourront
délicatement, à tâtons,
caresser la peau de l'autre et
constater qu'elle vit.

Nos cœurs parleront, comme nos
regards le premier jour.
Ils seront là, juste pour observer,
qu'ils n'ont qu'un seul désir,
s'aimer,
pour toujours.

La persévérance

J'étais ce petit enfant, prenant le temps d'accepter et de recevoir,
ce que la vie a mis sur son chemin.

Grâce à cette rencontre, je m'engageais dans une démarche nouvelle. J'allais passer aux exercices pratiques, découvrir et développer ***mon pouvoir d'aimer.***

Raphaëlle était peut-être sur ma route pour cela.

Je décidais de prendre ***le risque jusqu'au bout.*** *Le départ pour le Loiret fut fixé au 26 mars.*

En route vers l'inconnu.

Dès mon réveil, la journée s'annonçait extraordinaire. J'allais enfin au-devant d'une aventure amoureuse préméditée.

J'étais serein, totalement ***en adéquation avec l'action et l'intention.***

J'étais tout simplement heureux, joyeux comme chaque jour avec une petite nuance : vais-je oser me blottir dans ses bras ? ***Lui offrir sans conditions*** *ce que je suis de plus précieux, le petit bonhomme aimant, affectueux et tendre.*

Je ne le savais pas encore.

Le doute de me voir mourir à son contact était mon vœu.

Je ne souhaitais pas rater cette occasion que de laisser fondre ma carapace sous les rayons de sa longue chevelure couleur soleil.

Durant le voyage, à bord de la niche mobile d'Arthur, je lui ***confiais régulièrement la présence de mes peurs,*** *ce qu'elles contenaient. Il me répondait pour me soutenir dans cette épreuve,*

avec une grande lèche affectueuse et baveuse qui traversait ma joue droite en diagonale. Parfois il devait estimer qu'une ne suffisait pas pour me remonter le moral, alors généreusement, il enchaînait avec une deuxième tout aussi chargée d'émotions canines.
Dans ces moments là, par l'intermédiaire du rétroviseur, je lui faisais signe des yeux que j'avais bien reçu le message et que j'éprouvais de la gratitude pour toutes ces attentions. ***Que sa présence dans ma vie me réjouissait à chaque instant.***

Il m'arrivait, avant de m'adresser à lui, de prononcer son prénom avec compassion, lui réitérant la complicité et le grand plaisir que j'éprouve à l'accompagner dans son existence de rôle de chien, immatriculé Beauceron.
La vie m'offre depuis quelques années ce qu'il y a de plus beau sur terre, y compris le chien, le beau-ceron.

Alors pourquoi *dans quelques centaines de kilomètres,* **je ne serais pas amoureux** *de cette toute tendre et belle femme.*

Je ne pouvais accomplir ce voyage de six cents kilomètres sans prévoir des haltes pour mon bien-être, mais également pour permettre à Arthur de se dégourdir les pattes et délester sa vessie, éventuellement son intestin.
Je décidais une pose dans un sous-bois, à proximité de la ville de Gien, objectif final de mon voyage, là où la belle au bois dormait.

Un des plaisirs de mon compagnon est de jouer au chef de meute, cela veut dire en clair qu'une fois sauté hors de l'auto, il se place devant pour se lan-

cer dans une course, dont le rythme est en fonction de sa résistance physique. Alors il ne me reste plus qu'à le suivre, en première ou en seconde selon son tempo.

Cette transhumance contemporaine peut compter quatre à dix kilomètres. Une fois ce marathon achevé, il vient se positionner derrière l'auto, face au hayon arrière, pour que la porte automatique de sa niche mobile lui offre l'accès à son royaume. Parfois, durant son exercice, il s'offre un bain de boue en guise de rafraîchissement. Côté parfum, nos goûts généralement diffèrent, pas sur la marque du parfumeur, mais sur la flagrance du liquide. Je m'abstiens de lui faire des reproches, j'apprends à l'aimer avec sa culture de chien et respecte ses choix, y compris sur le plan culinaire.

Je dois reconnaître que souvent nous déjeunons et dînons ensemble, mais nous ne mangeons pas toujours la même chose.
La présence d'Arthur, c'est pour moi, lors de notre première rencontre au Chenil du Palais des Papes à Avignon, ***l'engagement de fonder une famille****, expérimenter la vie de couple avec comme référence, l'animal, il est tout amour.* ***Son comportement est toujours juste, il ne tient qu'à moi de me remettre en question, de grandir.***

Arthur, c'est mon guide, mon mentor.

Avec lui, j'évite ***les rapports de force****, surtout lorsqu'il ouvre sa gueule. Inutile de vous décrire sa dentition, surtout les canines. Moins il en fera usage, mieux je me sentirais à l'aise en sa présence.*

Après cette brève description relationnelle de mon couple à six pattes, je ne pouvais me diriger vers une épreuve plus délicate et agrandir cette famille naissante.

Dans une heure, nous allions, Arthur et moi découvrir la vie à Gien. Je commençais à entendre mon cœur battre un peu plus fort.

Hé oui ! C'est lui qui nous a conduit jusqu'ici, il m'a bigrement influencé pour que ***j'assume mes responsabilités.***

Oui « petit cœur », tu as raison, ***tout va merveilleusement bien se passer.***

Me voilà au téléphone avec Raphaëlle, elle me donne les dernières indications pour que j'accède sans trop de difficultés jusqu'à sa tanière.

« Jean-Pierre, je raccroche, et viens au-devant de toi, sur la place de la victoire. » Elle s'était blessée au pied quelques jours plus tôt, je me devais de me rapprocher le plus possible pour lui éviter de souffrir.

Je me demande durant les derniers mètres qui nous séparent encore, si je la reconnaîtrais.

Ca y est, je l'aperçois.

Je poursuis mon récit.

J'écris ces lignes sur la table de la salle à manger, cette table qui nous unis désormais chaque jour. Ensemble, nous partageons avec elle et autour d'elle nos repas. Ce sont des moments privilégiés, l'un fait découvrir à l'autre ses talents culinaires.

La créativité *dans ce domaine est au menu à chaque repas.*

Cette table nous sépare également, nous sommes installés de chaque côté, ***nos cœurs se retrouvent face à face.***

Nous ne pouvons nous empêcher à un moment ou à un autre, de faire un peu d'espace pour nous frayer un chemin afin que ***nos mains se rejoignent.***

Nos yeux brillent, un puissant faisceau de désir s'en dégage, impossible de nous rapprocher.

Alors, au paroxysme du bien-être, ***nous communiquons en silence****, l'amour étant si grand que les mots seraient restrictifs. Nous aimons de plus en plus nous mettre à table,* ***notre streap-tease amoureux*** *nous nourrit, tout autant que la nourriture précieusement déposée dans notre assiette.*

Entre le ciel et la terre, notre pain quotidien est puisé dans ***le pétrin du bonheur.***

Notre rencontre

Un regard sélectif, je brûlais d'impatience de voir son image, sa silhouette se dessiner en moi. J'avançais au volant de mon auto déterminé, ***je n'avais plus peur,*** *j'allais enfin la revoir.*
J'avais gardé en mémoire son odeur de tendresse, un regard délicat et sensible.

Derrière une file de voitures en stationnement, j'aperçois celle qui avait caressé mon cœur avec tant de soin quelques semaines auparavant.
Elle me faisait signe, et tout en claudiquant, se rapprochait de moi.

Je descendis de l'auto et l'embrassais sans signe extérieur d'attention.

J'étais là, et pour moi cela représentait un grand pas vers ***la reconnaissance explicite de mes sentiments*** *à son égard.*

Ensuite ce fut au tour d'Arthur de retrouver celle qui deviendra sa maman.

Raphaëlle nous invita à découvrir sa tanière.
Je me sentais heureux et embarrassé à la fois, d'une main je tenais Arthur en laisse de peur qu'il ne la bouscule dans les escaliers, et de l'autre un petit sac contenant quelques affaires. Une fois dans l'appartement, nous fumes accueilli par son amie. Très vite, j'ai ressenti de la part de ces deux jeunes femmes de nombreuses attentions nous témoignant la joie qu'elles éprouvaient à nous recevoir.
Arthur n'était pas exclu, au contraire, en quelques minutes les règles du savoir être « un brave Beauceron » tombaient.

Il avait dès son premier regard séduit son public féminin, quelques foulées ensuite suffisaient pour que sa beauté soit aussitôt remarquée.

Hé oui ! Arthur tu sais te faire accepter immédiatement, ***tu n'as même pas à ouvrir ta gueule,*** *quel talent !*

Arthur, le cœur sur la patte

*Il y a en nous un homme qui
sommeille et qui marche à quatre
pattes.*

*J'entends souvent « quel temps de
chien, quelle vie de chien. »
Faute d'avoir les neurones
suffisamment développés, je n'y
comprends rien.*

*J'ai donc décidé de vivre auprès
d'eux.
Eh! oui les chiens, je ne vous cache
pas que de la nature, je suis
amoureux.*

*Et depuis quelque temps, je le passe
à l'observer,
pas si bête l'animal.*

*Il ne se pose pas de question, il dort
tête baissée,
nourri, logé, la vie de chien, pas si
mal.*

*Je ne suis pas misogyne, mais
Arthur est mâle,
dans sa peau, je ne sais pas.
Dés la porte ouverte, il s'emballe,
je dois rester vigilant et avancer à
petit pas.*

*Je sais, cela porte-bonheur.
Oui, c'est un chien sans complexe,
libéré,
mais de retour dans le camping car,
je ne vous dis pas l'odeur.
Je dois faire attention avant de lever
le pied.*

Après de nombreuses études,
je me suis aperçu que j'étais ignorant.
Incapable de vivre la plénitude,
***mon corps transpirant l'orgueil**, mal odorant.*
Le contact avec les autres,
quelque peu difficile.
*Monsieur je vous assure, **ce n'est pas de ma faute,***
sur terre, on m'avait promis la vie facile.

Alors là, l'idée me vint de devenir berger.
Je suis persuadé de voyager sous la bonne étoile.
Faute de courage, je ne suis pas devenu une star,
et mes parents ne m'ont pas appelé Michel.

Qu'à cela ne tienne, je continue.

Aujourd'hui mon guide, c'est Arthur.
Sur TF1, mon présentateur fétiche
un peu poilu.
Il m'aime, j'espère que pour lui, ce n'est pas trop dur.
Combien de temps tiendra-t-il en ma compagnie ?
Je lui ai posé la question,
il n'ose pas répondre, il nie.
Peut-être a-t-il peur que l'être humain soit un espion.

Après quelques mois passés en compagnie d'un chien,
j'ai tiré une première conclusion :
Notre point commun, nous sommes deux mâles en vie,
en conjuguant nos talents, nous devrions faire du bien.

Je vous disais au début de ce délire,
que la nature animale et humaine
me parlait.
Avec lui, c'est histoire sans parole,
juste le sourire.
Et du matin jusqu'au soir, il se fait
servir, s'il vous plaît.

Deuxième conclusion tirée de ma
relation canine :
Si l'homme se mettait au service de
l'homme,
il y aurait moins de Staline,
et Décathlon se dispenserait de la
pub « A fond la forme. »

Eh ! oui, l'Homme serait par nature
humain,
à tout moment aux autres, il tendrait
la main.
Vivrait le moment présent, sans
s'inquiéter de demain,
et marcherait dans la rue, avec le cœur
sur la main.

Bien sûr, tu n'es pas devenu mon guide pour rien, tu m'apprends ***à communiquer en silence.***

Les deux jeunes femmes nous attendaient. Au programme l'invitation faite quelques jours plus tôt « Jean-Pierre viens voir mes chevaux quand tu veux. »

Après m'être désaltéré, nous sommes repartis vers les écuries, Raphaëlle assise à côté de moi et son amie partageant un espace à l'arrière dans la niche d'Arthur. Une fois de plus, il avait saisi l'occasion d'exprimer sa générosité, en tirant une longue langue pendante à son invitée.

Nous voilà à nouveau en route, direction le laboratoire de Raphaëlle.

Je ne savais absolument pas en quoi consistait cette discipline équestre, étant devenue sa passion : le dressage.

Je lui avais, lors de notre première rencontre, posé quelques questions ou plutôt demandé des précisions sur cet art, mais à chaque fois, les réponses ne m'apportaient que peu d'informations ne me permettant pas d'imaginer son domaine d'expression.

À l'orée d'un bois, un portail ordinaire nous barre la route. Un code composé sur le clavier accroché à l'entrée et les portes s'ouvrent.
Nous pénétrons dans un lieu splendide, de chaque côté du chemin menant au cœur des écuries, des barrières blanches, tantôt des poteaux ronds en bois délimitent différentes parcelles.

Dans chacune d'entre elles, une jolie et coquette maison, pas une bicoque, abrite les chevaux qui y séjournent. Nous passons devant un édifice dont la construction ressemble à ses maisons construites en Normandie faites d'une ossature en bois, remplies de petites briques rouges minutieusement alignées.

Cet édifice est gigantesque.

Je suppose qu'il abrite le manège. De larges et hautes portes y donnent accès à cheval.

Nous arrivons ensuite au bout d'une allée bordée de jeunes arbres, face à un somptueux porche. Vu de dessous la charpente, une œuvre d'art, digne du talent des compagnons, est construite tel la coque d'un bateau datant du siècle dernier.
Cet ouvrage est recouvert de petites tuiles plates, c'est l'entrée principale des corps de bâtiments, l'un d'entre eux est imposant.

Un hôtel particulier règne en maître des lieux.
De chaque côté de l'édifice, deux demeures de charme sont habillées de lierre et de vigne vierge, les faisant disparaître, rendant l'espace plus naturel. L'une est destinée aux juments et leurs poulains, un coin d'intimité leur est réservé, l'autre est affecté comme maison de villégiature.
À ses pieds un parterre de fleurs bigarrées, en fond une forêt de chênes verts. Au centre, un gazon fraîchement tondu réveille la couleur nature. Un peu plus loin, sur la droite, à quelques pavés de là, **le cœur des écuries.**

J'apercevais déjà ces créatures de rêve, ces top modèles de l'esthétique majestueux et élégants.

La famille de Raphaëlle, sa raison de vivre, l'objet de ses actes de bienfaisance.

Radamés, Déclic et Kalongo l'attendent, parmi les nombreux autres élus du cœur des hommes et femmes ***qui consacrent leur vie à les aimer.***

Raphaëlle m'invite à faire leur connaissance, j'ai l'honneur d'être présenté.

Nous passons d'un box à l'autre, c'était la première fois pour Arthur et moi que nous pénétrions au royaume des chevaux de compétition.

J'avançais en silence vers chacun d'entre eux, ***sans les voir vraiment.***

J'étais impressionné par leur silhouette imposante, presque recueilli pour recevoir ce cadeau.
Raphaëlle me présentait à ces êtres très chers à son cœur, ceux qui chaque jour depuis vingt ans ***lui apprennent à monter sur leurs dos.***

Ceux qui depuis tant d'années ***l'aiment, prennent soin d'elle,*** *lui font des grandes lèches sur le visage en signe d'affection.*

Je n'osais approcher ma main de leurs naseaux, partie de leur tête pourtant si douce, là où elle les embrasse quotidiennement pour leur dire ***« je vous aime, merci pour tout ce que vous m'apportez. »***

Ce n'était pas simplement une présentation qui m'était offerte mais davantage.
Il était grand temps de les faire travailler. Ce jour-là, ce fut son amie qui était en charge de cette leçon et Déclic nommé d'office.

Je découvrais alors les stalles, lieu où sont préparés les chevaux, une sorte de grande salle de bain avec une pièce attenante comme garde selles. Là, les accessoires sont déposés avant et après chaque séance de travail, le compagnon de l'homme est bichonné, préparé avec recherche et coquetterie.
Par exemple les grandes chaussettes qui protègent ses chevilles dans son box, sont enlevées et remplacées par des bandes adaptées aux exercices qu'il aura à réaliser dans le manège ou dans la carrière.

Ses chaussures ne sont pas changées, mais les cailloux ou la paille sont soigneusement grattés sous les sabots entre le fer à cheval. On y applique une couche de graisse au pinceau pour protéger la semelle en corne d'origine. Son pelage royal couleur caramel, avec des ombres de biscottes brûlées, n'est pas oublié.
Il est brossé des sabots à la tête, sans oublier au niveau de la tête, la petite carotte tombée du ciel, une surprise quotidienne venue de l'au-delà.

Il ne reste plus qu'à poser dans le creux de son dos un petit tapis blanc qui recevra une superbe selle, en cuir noir, lisse.

Et voilà Déclic tout prêt pour inviter sa cavalière ***à monter à bord de son cœur.***

Le voile de l'illusion

J'aime cet instant où je reviens de là-bas.

Lettre à mon cheval

Au réveil, déjà, à toi je pense,
à l'idée de te revoir, de te monter.
À ton contact, j'observe, je suis spontanément en transe,
enfin sur cette terre, je m'autorise à aimer.

Pourtant, je suis encore dans mon lit en boule.
J'aime cet instant où je reviens de là-bas,
je peux rester faire « papatte » en rond, loin des foules.
Je sais, Radamès, tu m'attends et ***m'aime ici bas.***

Dans la cathédrale, ensemble nous partageons,
à l'heure du petit-déjeuner,
notre joie de vivre, au pas, nous progressons.
J'ai besoin de toi, dans ce lieu magique pour communier.

J'ai tant d'amour à donner,
depuis toute petite, par les chevaux, je suis attirée.
Aujourd'hui, je ne peux plus, d'aimer m'interdire ,
avec toi, à petites foulées, ***je m'autorise à grandir.***

Sans toi, depuis longtemps, j'aurai renoncé,
à utiliser mon corps, par la foi animée,
moins peureuse.
Je ne peux que la vie remercier, tu as fait de moi, une princesse heureuse.

Nous les accompagnons jusque dans la carrière. Le moment est venu pour Arthur et moi de découvrir les talents de ce couple.
Je décrirais plus tard le spectacle, je ne voudrais pas paraître trop voyeur pour les premières heures passées en leur compagnie.

Pendant ce temps, Raphaëlle et moi avons décidé de continuer la visite du paradis, en nous dirigeant vers le spring-garden, espace composé de prairies et de forêt, où le cheval est conduit avant ou après avoir travaillé pour s'échauffer ou se détendre.

En ce qui nous concernait, ce fut l'action détente, car nous étions pour la première fois seuls, tous les deux, depuis mon arrivée à « Gien-Plage. »

Son amie travaillait avec Déclic et Arthur se reposait dans sa niche mobile de marque Fiat, couleur noire.
Il avait, lors de l'achat chez le concessionnaire, choisi cette couleur.
Il considérait que faute de ne pouvoir assortir ses vêtements à son pelage, il s'octroyait le droit de le faire avec sa niche mobile. Je n'avais pas fait d'objection, car après tout, ce cadeau lui était adressé. Il pouvait bien choisir la couleur de l'emballage. Il aurait pu me demander de faire repeindre le bas de caisse, couleur feu comme ses pattes de quadrupède, mais ***il avait su maîtriser son mental*** *et ne pas céder à la mode des grands stylistes canins de notre époque.*

Durant notre promenade découverte dans les bois, je n'ai pu me retenir de demander à cette jeune femme de me rapprocher d'elle, et de la serrer très fort dans mes bras. Le vent dans les feuillages rendait cet instant complice.

J'osais exprimer clairement mes sentiments.
Je me sentais en sécurité au cœur de cette nature sur le chemin où chaque jour, elle passait avec ses chevaux.

Ces instants traduisaient l'acceptation mutuelle de nous aimer, de nous parler en silence.

Les arbres autour de nous se balançaient de droite à gauche en signe d'accompagnement. L'écorce n'avait exceptionnellement aucune revendication à formuler, seuls ***nos cœurs explosaient*** *au sein de notre corps.*

Nous avons déambulé sur le chemin du retour vers la cathédrale (le manège).

Ce lieu où la magie du dressage se réalise, ce lieu où ***le cheval initie son cavalier*** *à la douceur, l'écoute, le discernement pour mieux* ***rendre invisible leur relation amoureuse en public.***

Nous venions ensemble de franchir les premiers pas l'un vers l'autre.

De retour vers les stalles, j'assistais ***aux soins donnés avec amour*** *à Déclic pour le décontracter avant qu'il ne retourne dans son palais, afin que dans la paille fraîchement apportée, il se repose.*
Un bisou de remerciement sur son naseau avant de reprendre le chemin de la tanière en compagnie d'Arthur.

Nous venions de recevoir Arthur et moi un cadeau de grande valeur.

Il avait rencontré des copains et des copines qui étaient **à l'école de la vie,** *dans une classe supérieure.*
Pour jouer avec eux, il devait se dresser en équilibre sur ses pattes postérieures, ce qui ne lui arrivait jamais. Et puis pour une fois, ce n'était pas lui qui courrait le plus vite.

Sur la route du retour, il m'a posé une question embarrassante, vous savez celle que les enfants posent au cours d'un dîner avec des invités, et à laquelle nous ne savons pas toujours répondre. Arthur est très observateur, il n'aboie que pour attirer mon attention sur un sujet vital **ou me remettre à ma place.**
Ce jour-là, sa question était la suivante : pourquoi donne-t-on une carotte lorsque mon compagnon Caramel rentre dans sa maison et non pas lorsqu'il travaille, pour le motiver par exemple, le faire avancer ?
Je ne sus que répondre ; je lui fis juste un signe de la tête, pour lui dire que j'avais bien entendu et me remis aussitôt à la conduite.

Avant le retour dans la tanière, son amie, avec beaucoup de délicatesse avait décidé de nous fausser compagnie pour la soirée. Elle avait deviné notre avenir et par amour pour Raphaëlle souhaitait nous laisser vivre cette rencontre en toute intimité.
« Merci, merci pour tout ce que tu as fait. »

Je n'ai pu retenir mon désir de serrer cette charmante et séduisante femme

dans mes bras.
Ma bouche empreinte de douceur venait lui demander à cet instant, sa main.

Comme Arthur me l'a appris, toujours le mot gentil au bout de la langue, qu'il ne prononce jamais. Cette langue qui plus elle est longue et baveuse, exprime sa générosité et son affection.

Je décidais donc d'expérimenter son langage, et puis après tout nous étions à « Chgien . » Je ne suis pas allé jusqu'à me mettre à quatre pattes, ni à bâiller en faisant du bruit pour attirer son attention.

Non, j'ai juste remercié la vie d'avoir répondu aussi vite à mes courriers et **demandé à mon cœur de m'aider à prendre soin** *de cette jeune et jolie femme sensuelle.*

En même temps que j'aie envoyé cette pensée, ma langue se frayait un chemin jusqu'à ses lèvres.

Je n'avais pas peur, j'étais totalement présent, le petit bonhomme s'autorisait à l'embrasser, à goûter la chaleur de sa bouche, épouser les contours de sa langue.
Je fermais les yeux pour plonger totalement dans cet espace tendresse qui m'était si généreusement offert. Mes mains caressaient sa longue chevelure blonde qui descendait le long de son dos. Nous étions debout, je l'avais invitée à venir se blottir dans mes bras.

Le baiser fut comme dans les films, il s'éternisait.
C'était le temps nécessaire pour se donner tout entier à l'autre, c'était ce baiser qui reste dans les mémoires

Le fer à cheval

Je ne peux considérer le destin.
Te regarder, te parler, t'aimer au quotidien,
***n'est pas le fait du hasard,** c'est un festin.*
Je souhaite à chaque instant prendre ta main.

Pour aller où ? ***Je ne sais pas, peu importe,***
je ne peux plus nier, que ta douceur me porte,
un peu plus haut, un peu plus loin,
pour à tout moment te coucher dans le foin.

Tous les deux, en jouant,
nous ouvrirons à deux mains la serrure du box.
Ton cheval nous regardera de son œil aimant.
Il ne pourra plus confondre l'acte d'amour et un combat de boxe.

Nous lui offrirons ce spectacle.
Que sur la terre l'homme et la femme sont là pour s'aimer,
n'importe où, pour accomplir cet acte redoutable,
peut-être sous le sabot du cheval,
nous nous sentirons protégés.

Nous sommes au sol allongés,
au-dessus de nous, son imposante musculature,
me fait ressentir en moi, l'animal frustré,
n'osant accepter l'insécurité du futur.

Raphaëlle dans mes bras contre mon pelage, je te serre,
mes doigts cherchent à se frayer un chemin,
pour délicatement caresser tes seins.
Je ne rêve pas, je suis bien avec toi accomplissant un acte d'amour sur terre.

Raphaëlle

Les deux visages se rapprochent si près, que seuls les yeux du cœur voient.

toute sa vie, le **premier**, *celui où les deux visages se rapprochent si près, que seuls* **les yeux du cœur voient.**

Il y a de cela deux mois, et aujourd'hui en écrivant, je sens toujours en moi sa langue sucrée chargée d'amour.

Arthur était venu nous pousser avec son arrière-train. Je le sentais heureux, il voulait se joindre au bonheur de son papa et simultanément témoigner à Raphaëlle l'acceptation de sa présence à nos côtés. Il balançait sa longue queue noire en signe de joie. Dans ses yeux brillants et malins je lisais déjà « je t'aime la grande blonde et puis peut-être qu'avec toi, je pourrais jouer, faire le fou, car je le sais tu aimes les quatre pattes. J'espère que tu me feras aussi une grande place dans tes bras, quand mon papa sera absent par exemple. »
Arthur avait du flair et sur le bout de sa truffe noire était inscrit : **elle fait partie des gentilles,** *pour mon papa, je ne me fais pas de souci, nous serons tous heureux auprès d'elle.*

Tous les soirs il vient se coucher devant la porte de notre chambre restée entrebâillée, car seules les chattes, Poison et Letaba, sont autorisées à pénétrer dans notre espace nocturne.
Le matin, dès notre réveil, il exprime sa joie. C'est sans attente qu'il gesticule dans tous les sens, sa queue heurte les murs comme pour donner le tempo aux battements de son cœur.
Lorsque je le croise dans le couloir, je ne peux m'empêcher de lui dire bonjour, de lui faire un bisou sur la truffe et de lui dire merci.
Merci pour ta présence,

ton amour inconditionnel.
Tu m'enseignes avec tact et discrétion l'art d'aimer. *Cet acte qui de par sa pureté devient invisible et revêt* ***la robe de l'humilité.***

Grâce à toi, chaque jour, je fais un pas de plus dans cette direction, et puis grâce à tes leçons, je vais tenter auprès de Raphaëlle de passer les épreuves pratiques, ***en maîtrisant mon mental et la peur, pour ne plus fuir en période de turbulence.***

Notre première rencontre avec Raphaëlle touchait à sa fin.

Je devais repartir pour Avignon, lorsqu'au dernier moment, le jour où j'avais planifié de rendre visite à mon papa sur le chemin du retour, sa maman nous téléphone.

Elle exprime son désir de nous inviter à Paris tous les trois.
Arthur toutes pattes comprises (dès l'âge de neuf mois, il chaussait déjà du 46).
C'est la raison pour laquelle, je tiens toujours compte de sa présence et surtout de l'espace, dont il a besoin, pour se détendre dans sa niche mobile. Lorsqu'il s'étire, je ne peux le nier, car j'ai les deux pattes avant qui finissent leur course sur la plage du tableau de bord, à deux doigts de pied du pare-brise.
Cette journée dura 48 heures, car tous mes projets furent chamboulés.

Tout d'abord, je me suis rendu auprès de mon papa pour déjeuner, à 160 kilomètres de Gien. Pendant le repas, j'ai partagé avec lui pour la première fois, mes projets en cours, l'écriture de ce livre d'histoires, ainsi que la réalisation d'un compact disque.

Sur la route du retour, je lui proposais d'écouter quelques extraits du CD, dont celui intitulé « mon frère. »

Nous roulions sur des petites routes départementales, la nature se réveillait, les couleurs tournesol, maïs découpaient et habillaient les champs. Le grand couturier céleste faisant usage de son talent de créateur, pour notre plus grand bonheur.

C'est dans ce décor, que pour la première fois, ***je vis pleurer mon papa à plus de 85 ans.***
Sur un fond de harpe celtique, des mots lus alternativement par une adorable puce de 10 ans et moi-même, ***allaient droit à son cœur.***

Au même instant, nous apercevions le panneau indiquant le nom de son village natal : St Denis des Puits, lieu chargé de souvenirs de vacances, j'y retrouvais mon papa chaque année.

Le nom de ce village était repris dans les haut-parleurs de l'auto, St Denis des Puits, source de l'imagination, ***préviens papa pour ne pas qu'il fuie,*** *et lui faire-part de cette invitation.*

J'avais la chance de constater qu'une fois de plus ***mon vœu s'était réalisé.***

J'étais auprès de mon papa, ***mais cette fois, ni lui, ni moi n'avions fui.***
Lorsque j'ai aperçu les larmes couler sur son visage, je n'ai pas pu résister au désir de lui prendre la main et de la serrer très fort dans la mienne.

C'était également la première fois que nous nous prenions la main avec amour, dans ***le partage sans limite du contenu de nos tripes.***

Il n'y avait plus de papa, plus de fils, juste deux hommes qui se retrouvent dans la fragilité, la sensibilité et ***qui osent le montrer.***

Nous n'avons pas pu rentrer directement à la maison. Tout ce que nous souhaitions, l'un comme l'autre, n'était rien d'autre que de faire durer ***ce moment d'unité, entre le père et le fils.***

Je lui proposais de continuer, ***nous n'allions nulle part,*** *cela n'avait aucune importance, nous étions en silence,* ***juste complice de notre bien être.***

Je lui fis écouter d'autres titres, comme « l'art d'aimer est devenu l'armée. »

Mon papa, ayant été prisonnier pendant la guerre de 1939 et ayant ***toute sa vie porté dans son sac à dos ses souffrances,*** *je devinais que ces poèmes allaient également* ***le réconcilier avec une partie de lui-même.***

Voici un extrait :

« Pourquoi l'armée ne serait-elle pas une école d'amour ?
Apprendre à se servir des armes pour tuer son ego.
Prendre sa photo l'agrandir et la mettre comme cible.
Oublier de dessiner le cœur pour éviter de l'endommager.

La destruction

Je ne souhaite mettre aucune partie de mon corps à terre, mais l'utiliser, pour contribuer à créer un monde meilleur.

Mon frère

Mon frère,
ce matin en recevant ton SMS,
j'ai reçu une prière,
un peu comme un message, une caresse.

Eh oui, j'avais oublié,
celui que l'on ne voit pas,
avec qui, par les liens du sang nous sommes reliés,
celui dont on parle parfois, qui habite là-bas.

Je suis entouré de faux frères,
car eux, quand je souffre, ils sont là.
Je ne t'en veux pas, sur la terre règne la guerre.
Aujourd'hui avançons l'un vers l'autre à petit pas.

Le 1er janvier, le 1er jour de l'année,
je fais le vœu, grand frère, de te retrouver.
Et même si par le passé, la différence nous a séparés,
demain en la partageant, elle enrichira nos soirées.

Depuis maintenant plusieurs années,
j'apprends à aimer.
J'éprouve beaucoup de joie à donner.
Je consacre du temps à observer l'espèce humaine,
et que notre sang, provient des mêmes veines.

Il n'y a pas de petites ou de grandes artères.
Elles conduisent toutes notre essence jusqu'au cœur.
Je ne souhaite mettre aucune partie de mon corps à terre,
mais l'utiliser, pour contribuer à créer un monde meilleur.

Voilà grand frère,
en quelques lignes,
le désir exprimé, un signe,
de nous retrouver bientôt auprès de notre père.

À St. Denis des Puits,
source de l'imagination.
Préviens Papa pour ne pas qu'il fuie,
et lui faire part de cette invitation.

Eh oui ! lui, l'exclu de la bataille, celui qu'on ne peut mépriser puisqu'on l'ignore ».

C'est étrange, ce doit être un mot de guerre, le cœur, parce que j'entends parfois qu'ils disent :

«Il a été brillant au cœur de l'action ». Moi quand j'entends cela, ***je reste désarmé.***

Il y a de quoi y perdre son latin pour ceux qui l'ont appris.
Pour améliorer la qualité de vie des humains, les hommes politiques renforcent la gendarmerie et la police sur les routes, pour qu'il y ait moins de morts.
Je veux bien, mais alors ***pourquoi on donne aux hommes des fusils pour tuer d'autres hommes.***

Mon papa était resté attentif et sensible. Nous nous remettions progressivement de nos émotions, nos yeux brillaient de joie.

Je venais de rétablir la communication avec mon papa sans dire un mot.
J'étais heureux, très heureux.

Il avait fallu cinq ans de travail personnel pour atteindre cet objectif si cher à un enfant, qui n'avait jamais connu son père à la maison et ***qui pourtant porte son nom sans véritablement le connaître.***

Je l'ai reconduit chez lui, nous nous sommes embrassés longuement avant de repartir, je n'avais pas l'impression de le quitter, au contraire depuis ce jour je le sais à mes côtés, et pour ma part, ***je l'ai accepté.***

J'ai écrit ces quelques lignes à la suite de notre rencontre, peut-être pour immortaliser cet instant magique, et ne plus jamais oublier que ***nous nous aimons.***

Extrait de : « Les enfants. »

Un vœu, qui par ta disponibilité est devenu réalité.
Des heures dans la voiture pour t'y rendre,
ont donné naissance à l'idée,
qu'auprès de ton père, tu pourrais prétendre,
éprouver de la joie, communiquer et entendre.
Que pendant toutes années, il n'a cessé de t'aimer en silence,
Il n'attendait rien de toi, il usait de patience
Comme un bouddha, un sage.
Ton papa brûle d'impatience,
que tu découvres durant son absence,
le trésor, la richesse d'un enfant.
L'insouciance.

Il t'observait sans jamais faillir.
Il était convaincu qu'un jour, il te verrait grandir.
Et que pour cela, il n'avait rien à faire,
que d'aimer la vie, sans oublier de remercier sa mère.

Car un jour, ils ont ensemble,
accepter de t'accueillir sur terre.
C'était leur façon, il me semble,
d'expérimenter la vie, le non faire .
Merci papa !

En début d'après-midi, je repars en direction de Gien.
Après deux heures de route, je retrouve mon petit cœur, je partage avec elle, les précieux moments vécus en compagnie de mon papa.

Des larmes de joie coulaient sur mon visage, mon corps tout entier revivait ce moment.

J'eus juste le temps de passer sous la douche avant de reprendre la route pour Paris. Une nouvelle aventure et assez originale m'attendait.

J'allais rencontrer la maman de Raphaëlle, que je connaissais déjà, dans des rapports professionnels depuis plusieurs mois, mais ce soir tout était différent.

J'étais invité dans la maison familiale comme l'amoureux de sa fille, et autorisé à dormir dans sa chambre avec sa bénédiction.

Pas facile pour moi, d'accepter une journée chargée d'amour et de tendresse.

Jean-Pierre et son chemin de croix.

J'avais peur, ***peur de ne pas être capable d'assurer la responsabilité de mon acte amoureux.***
Peur de m'engager à accepter d'être accueilli dans une famille, et de me sentir profondément aimé.

Aimé pour ce que je suis.
Un petit bonhomme tendre et affectueux, voyageant depuis plusieurs années avec un sac à dos chargé de

souffrances, de chagrins et du jugement méprisant de lui-même.

L'accueil fut chaleureux, Arthur découvrant les appartements parisiens et utilisant, dès son arrivée, le tapis du couloir comme piste d'atterrissage.

Avec son amie Safi, une Golden Retriever, il découvrit également le plaisir de tourner à toute allure autour de la table basse du salon, sur laquelle était servies juste à sa hauteur, de séduisantes rondelles de saucisson accompagnées d'un verre de champagne.
J'avais par moment l'impression d'être avec un éléphant dans un magasin de faïence à Gien.
Mais ce n'était pas la seule attraction à sa disposition, le tunnel formé par la nappe qui recouvrait la table de la salle à manger lui parlait beaucoup.
Avec comme avantage supplémentaire, par rapport à la table basse, la possibilité de passer dessous et se cogner la tête, ce qui donnait comme impression, lorsque nous étions à table, de manger à bord du wagon-restaurant d'un train de grande ligne durant les années 1980.

Au cours du repas, je ne fus pas soustrait aux traditionnelles questions qu'une maman peut poser à son futur gendre, ***pour se rassurer en réaction à ses peurs.***
Ces moments ont réveillé en moi les souffrances du passé, surtout lorsque le sujet fut orienté ***vers mes enfants.***
Ensuite, je fus invité à rester dormir à la maison, auprès de mon cœur.

Il fut proposé à Arthur de rester avec son amie Safi. Une fois les lumières éteintes, ils recommencèrent à jouer avec comme nouveau champ de bataille, le lit de la maman en guise de trampoline. Je décidais de convier Arthur à rester dans notre chambre, culpabilisant quelque peu de m'autoriser au plaisir de la chair et de lui interdire par la même occasion. Mais je m'engageais envers lui à trouver une solution dans le futur pour ne pas le priver de ***ce moment si doux que la vie nous offre.***

Le lendemain fut une journée extraordinaire, nous étions conviés à assister à la confirmation de sa petite amie Golden.
Je lui avais parlé de ce projet la veille et sans hésiter, il avait bougé l'oreille gauche en signe d'accord. Safi s'était fait toute belle pour cet examen d'entrée dans le club des belles chiennes de race. Cette cérémonie avait lieu en banlieue parisienne, dans une prairie aménagée pour cet événement. Il y avait une buvette traditionnelle offrant aux bipèdes de quoi se nourrir et un seau d'eau en guise d'abreuvoir pour nos amis les chiens.

L'accueil d'Arthur par les organisateurs fut surprenant. Tout d'abord le rejet catégorique, ***ce chien ne fait pas partie de la race des Golden.***

Ici vous êtes dans ***le club des Golden.***

Ah ! Je tente d'établir le contact en expliquant que ce n'est que le petit ami de Safi.
Il n'est pas venu ici par égocentrisme et qu'il se fera discret pour autant que

possible (Arthur est noir avec les pattes couleur feu, tous les autres chiens du club sont couleur sable.)
Un « non » ferme m'est ordonné, « vous ne pouvez entrer » et puis une faille, « attendez là, vous verrez avec le responsable. »
Super, toute la petite famille continue le chemin qui mène au deuxième barrage. Même dialogue, « vous verrez avec le responsable ».
Je décide de me séparer de la famille pour aller m'exiler avec mon Beauceron de luxe à 50 mètres, en attendant que l'on statue ***sur le cas du trublion Arthur.***

La meute de Labradors et de Golden commençait à se rassembler sous les appels passés au micro par le service chargé de l'organisation.
Lorsque soudain, Arthur, son papa et sa maman sont interpellés via de gros haut-parleurs dissimulés dans la prairie.
Une voix nous demande ce que nous faisons seuls à l'écart, et nous convie à nous joindre à la meute.
Je suis stupéfait, depuis notre arrivée, nous étions les parias, la bête noire, et soudain, comme ***venue de nulle part, nous recevions une invitation.***
Avec gentillesse, la dame en charge du micro, avait décidé de nous associer à ***cette fête du chien avant tout.***

Arthur et moi, nous voilà dans la ronde, il faisait preuve de sagesse.
Moi, pendu à son cou, très fier des perspectives qui nous étaient données, en venant jouer avec les autres copains chiens.

Toutes les épreuves donnaient à Arthur l'occasion de montrer, ***que ni sa race, ni sa couleur n'avaient d'influence négative sur son comportement.*** *Il était très sociable, bien que ce fût la première fois pour lui* ***de partager son savoir être en public.***
Toute la matinée fut nécessaire pour que les uns après les autres, maîtres et chiens viennent saluer Arthur, le caresser, lui faire des compliments.
Il restait égal à lui-même, bien qu'il soit sans le vouloir l'attraction perturbatrice de la fête.
Je ne me faisais pas de soucis, il avait une fois la porte ouverte, toutes les chances de séduire son public en deux coups de pattes « feu » et trois coups de langue baveuse. Ce qu'il réalisa sans faute.
Les enfants l'aimaient déjà beaucoup.

Dans le milieu de l'après-midi, il me vint à l'esprit de remercier les organisateurs pour leur acte généreux et bienveillant à notre égard.
Entre temps, Safi avait-elle aussi usé de son charme de belle blonde à poils longs pour remporter sa confirmation avec une mention.

Je choisis de lire au micro, après avoir sollicité l'accord de l'organisatrice, un texte adressé à Arthur pour le remercier de m'avoir choisi comme papa et de m'accompagner dans cette vie.
Voici un extrait, « Cours toujours » :

Arthur, je dois te remercier.
hier à Nîmes, auprès de moi ta présence.
Le sujet pas facile, la fiscalité.
Dans de telles circonstances,
pas spontané, d'avoir à payer.

L'état d'âme brille en silence.

J'étais heureux de te voir m'accompagner,
dans une situation où le rejet serait plutôt ma vérité.
Mais tu étais là, juste pour partager,
ma démarche, ma remise en question,
ma réalité.

Ce midi, j'ai décidé de t'écrire.
Tu tournes autour de la table,
tu me regardes, sur ton museau un sourire,
dans tes yeux, toujours un regard aimable.

J'espère qu'un jour, ma foi,
me fera entendre, qu'en moi à chaque instant, le téléphone sonne.
Au bout du fil, tu es toujours là,
assis tout près de moi.

Immobile, en silence, pas un geste, un pas.

À genoux, durant la lecture de ces quelques lignes, dans la prairie, le silence était tombé, seuls les mots résonnaient dans les haut-parleurs.
Les chiens inondés d'amour *s'étaient retournés vers le micro, et l'un d'entre eux, courageux et affectueux était venu le lécher pendant que je lisais.*
J'ai terminé mon monologue par un merci.
Ensuite Arthur, mon petit cœur et moi-même avons quitté cette fête pour rentrer à Gien, tous très heureux et émus de l'évolution de cette journée vers une unité.
Cela m'avait inspiré l'écriture de ces quelques lignes afin d'immortaliser cet événement.

Voici un extrait : « Les enfants. »

Je me souviens de cet après-midi,
au milieu des chiens sable, blancs, chocolat.
Que les parents et les enfants ont le droit d'être unis,
sans rien faire pour cela.

Cet après-midi-là, nos enfants à quatre pattes,
dans leurs jeux nous entraînaient.
Nous n'avions à penser, pour cela inutile de se battre,
juste le désir complice, le plaisir nous unissaient.

J'ai ensuite roulé jusqu'à la tanière de Raphaëlle. Nous avons dîné ensemble. Notre rencontre amoureuse générait déjà une séparation douloureuse.

Je ne voulais pas repartir, elle ne voulait pas me quitter.

Vers minuit, je montais avec Arthur à bord de sa niche mobile, direction Avignon, il était grand temps de partir, car le lendemain matin à neuf heures, je devais être dans un studio d'enregistrement.
Nous avions décidé mon ami Guillaume et moi de travailler sur le disque qui accompagnerait le livre d'histoire.

Je me souviens de cette anecdote.
Il devait être environ deux heures du matin, lorsque j'arrive à un poste de péage.
J'avais le sentiment de ne pas avoir emprunté le bon itinéraire, donc je demande à la personne présente dans la petite cabine, où suis je ?
Elle me demande d'où je viens,

j'étais incapable de lui répondre.
Je renouvelle ma requête en précisant que par contre, je sais où je vais : à Avignon.

Après quelques secondes d'hésitation, elle me confirme que je n'ai pas pris la route la plus directe, mais que je peux continuer ainsi et rejoindre un axe principal plus loin.

De nouveau sur la route, je réalise à quel point je suis toujours dans les bras de Raphaëlle, que depuis 200 kilomètres je conduis sans être au volant de l'auto,
je reconnaissais enfin mon état amoureux profond.

Merci la vie.

La caresse à son cheval

À l'épreuve du regard, ***ce couple exhibitionniste faisait l'amour en public.***

De dos, les queues de cheval toutes deux à l'aplomb.
La jeune femme blonde, élégante et racée.
Le cheval égal à l'hongre de lui-même,
conscient de sa responsabilité,
trottine, la tête basse, en référence.

Avec ses petites oreilles noires.
La beauté dans l'expression de ce couple,
traverse au galop, l'espace qui leur est alloué,
pour venir dans le public, déposer en douceur, un message.

À l'arrêt, pas un instant, sans un témoignage de reconnaissance,
Déclic, je t'aime, sans toi, je ne serais plus en vie.

Je les vois tous les deux, quelle ressemblance !

Sur les côtés du manège, des miroirs.
Sur le sol recouvert de sable fin, couleur caramel,
un faible courant d'air ionise l'atmosphère.
Une odeur de cathédrale s'échappe.

La pluie rythme le travail du cheval.

Un fond sonore habille le silence.
Religieusement, les liens se créaient, se développent, entre le cheval et sa cavalière.

Je ne sais pas qui domine, peut-être ni l'un ni l'autre.
Ils s'autorisent simplement à vivre l'instant présent.

Le maître entre dans les tribunes, sa voix grave, résonne dans la cathédrale.
Les premiers conseils retentissent, plus de compromis, fini la sieste au clair de lune.

Le rapport entre la cavalière et le cheval s'intensifie,
le travail commence, la vie passe.

Il me semble, qu'ils sont libres et aimants.

La lumière

Ils s'autorisent simplement à vivre l'instant présent.

Petit cœur, tout tendre

Je repense à dimanche.
C'était hier, nous étions ensemble,
heureux au déjeuner, la vie, on s'en coupait une tranche,
côte à côte, dans la voiture, lorsque j'y songe, je tremble.

Il aura fallu une seconde pour que notre tête réagisse.
Elle ne peut supporter de nous voir joyeux.
Dans ta bouche, ta langue a le goût de réglisse.
Soyons vigilants et restons amoureux.

Il faudra en payer le prix, l'acte d'aimer n'est pas gratuit.

Toi comme moi, ne souhaitons que grandir,
l'un auprès de l'autre, et par-dessus tout sans souffrir.
Nul n'est tenu sur terre, de s'aimer que la nuit.

Je fais le serment,
que chaque jour qui passe,
je donnerai tout pour toi, que l'on me pende, si je mens.
Devant l'énergie l'amour, le temps s'efface.

En prenant du recul, du repos, notre cœur aura le temps de se hisser,
tout en haut du mât de notre bateau,
pour nous guider, loin des chemins de la médiocrité.

Comme moi, tu n'as pas besoin de parler,
pour ressentir et déceler,
la montagne de douceur, que tu as à donner,
à l'être que la vie, a mis sur ta route pour t'aimer.

Raphaëlle, les mots me font défaut.
Hier soir ton corps, tu m'as confié,
à mon âme, humblement, j'ai demandé
***d'utiliser mes mains,** pour t'aimer et soigner tes maux.*

Dans les moments d'incompréhension,
faisons preuve de sagesse.
En silence, avec délicatesse,
utilisons la virgule et le point pour la ponctuation.

Nous ne savons pas marcher,
pour nous rapprocher l'un de l'autre.
Nous courons, nous sommes essoufflés.
Laissons-nous le temps, de passer d'une rive à l'autre.

Des deux côtés, nous serons,
Raphaëlle et Jean-Pierre, inséparables.
Nous jouerons, sur la scène de la vie, l'un de l'autre, nous serons fiers.

Toi sur ton cheval,
transie de peur, l'angoisse te torturant.
Devant un jury au comportement médiéval.
Tu leur présenteras, comment aimer sur le champ.

Moi, dans la foule à l'aide de mon regard,
en faisant usage, telle une lance,
je me glisserai dans la bataille au hasard,
pour te guider comme un phare.

Toute notre vie, ensemble nous naviguerons.
Probablement pour nous rendre nulle part,
juste pour goûter la vie, un peu à part.
Loin des jugements des hommes, sans prétention.

Où je t'aimerai éternellement.

La maîtrise du mental : la sagesse

Dans les moments d'incompréhension, faisons preuve de sagesse.

Mise en page et impression
MG imprimerie - 84210 Pernes-les-Fontaines pour les éditions Ici et maintenant
3é trimestre 2003
ISBN - 2-913593-04-6